퀴어한 관계

성소수자 & 정신질환자 16명의
인간관계와 사랑에 대한 인터뷰집

진영현

'스무 살, 행복해지기로 결심했다' 저
'색의 위로' 저
'서툴지만 애쓰고 있습니다' 공저

글을 쓰고, 책을 읽고, 타로를 보고,
우쿨렐레를 치는 평범한 만 23살입니다.

고등학생 때 성소수자라고 정체화 했고,
대학생 때 우울증을 진단 받았습니다.
그럼에도 불구하고 살아남고 있습니다.

사람을 위한 일을 하고 싶습니다.
대학교 때 상담심리학과 사회복지학을 전공했으며,
현재 사회복지학과 석사에 입학해 얼렁뚱땅 적응하고 있습니다.
글과 말로 사람을 행복하게 할 수 있는 삶을 꿈꿉니다.

인트로

왜 퀴어이면서 정신질환자를? – 6P

용어 설명 – 8P

16명의 이야기

jena56) 나와 같은 사람을 바라. – 15P

루시안) 세상에는 소수자가 아닌 사람은 없다. – 17P

알렉) 안전한 사회를 바라며 – 23P

라파) 힘들고, 행복했고, 빛날 거야. – 26P

애리) 사랑 바보 – 29P

토드) 튀려고 하지 않아도 튀는 – 34P

햄요) 나침반도 지도도 없이 정상성의 바다를 헤엄치는 작은 배 – 37P

잿녹) 끊임 없이 변화하는 – 41P

하별) 3P(Panromantic, Pansexual, Polyamory) – 44P

유) 언제나 퀴어였어서 – 53P

꾸살) 꾸역꾸역 살면서 곱게 미쳐 봅시다. – 56P

플루토) 온전한 나의 기질, 그리고 삶 – 59P

에븐) 점차 나아질 한국 사회를 바라. – 62P

첼) 적응 – 67P

하지) 논모노 스펙트럼 트랜스젠더의 경험 – 73P

파랑복숭아) 9년 째 동거 중 – 75P

에필로그

인터뷰집을 배우자와 함께 해보았다. - 81P

작가의 말

2023년을 마무리 하며! - 89P

왜 퀴어면서 정신질환자를?

당사자가 정신질환자이자 성소수자여서 그런가? 나는 주변에 나 같은 성소수자이면서 정신질환자인 이들을 많이 보았다. 그게 이 인터뷰집을 기획한 이유의 전부다.

취약한 정신건강을 가진 소수자들

성소수자는 여전히 만연한 사회적, 제도적 차별로 인해 취약한 정신건강을 가진 이들이 많다. 성소수자의 정체성과 정신건강과 관련된 변인의 관계를 살펴본 연구 중 (중략) 소수자 스트레스와 자살사고, 우울감 등의 정신건강의 문제나 전반적인 정신건강 수준과의 관련성을 보는 연구가 대부분이었다.

많은 연구에서 성소수자가 소수자 스트레스로 인해 심리적으로 취약할 수 있으며, 그로 인해 우울이나 자살사고와 같은 정신건강의 문제를 겪는 비율이 높다는 결과가 제시되었다. 하지만 성소수자의 정신건강의 위협 요인에 대한 활발한 연구와는 달리 보호 요인에 대한 연구는 거의 찾아보기 어려웠다. 궁극적으로 성소수자가 어려움을 겪더라도 스스로 회복할 힘을 가질 수 있도록 하기 위해서는 성소수자에게 어떤 것들이 자원이 될 수 있는지를 인식하는 것이 필수적이라고 할 수 있다.

성소수자가 타인과 맺는 관계들

국외 연구에서 성소수자 커플에 대한 연구도 활발하게 이루어지는데, 대부분의 성소수자에게 결혼이라는 사회적 제도에 대한 접근성이 매우 낮고, 연인 관계를 타인에게 알리기 어려운 국내 상황을 고려하면 성소수자가 경험하는 연인관계는 이성애자의 경험과는 다를 수 있다. 따라서 추후 연구에서는 (중략) 성소수자가 타인과 맺는 관계에 대해서도 주목할 필요가 있다.

교차적인 집단들

성소수자 내에서도 2개 이상의 정체성을 지닌 집단이 존재할 수 있으며, 그런 경우에는 그 정체성의 교차성(intersectionality)으로 인해 더 큰 심리적 어려움을 겪을 수 있다 (Cole, 2009). 예를 들면, 트랜스젠더이면서 동성애자인 사람의 경험과 트랜스젠더이지만 이성애자로서 성별 정정을 마친 이후에 결혼을 한 사람의 경험은 다를 수 있다.[1]

---

1. 남궁미, 박정은 (2020). 성소수자에 관한 국내 연구 동향. 한국심리학회지: 상담 및 심리치료, 32(3), 1469-1498.

용어 설명

용어 설명에 관련해서는 페미위키 등을 참고하였다.

성 정체성

자신의 젠더에 대한 자각, 자아의식을 말한다. 성별 정체성, 성 주체성, 성 동일성
이라고도 한다.

시스젠더란 자신이 사회에서 지정받은 성별과 본인이 정체화 하고 있는 성별 정체
성이 '동일하다.' 혹은 '일치한다.'고 느끼는 사람을 뜻하는 단어이다. 시스젠더 여성
인 경우, 여성으로 태어났고, 스스로 여성이라고 생각하는 사람을 뜻한다.

트랜스젠더는 젠더와 지정성별이 일치하지 않는 성소수자이다. 'Trans-'라는 접두
사 때문에 흔히 바이너리 트랜스젠더(FTM, MTF)으로만 상상되기도 하지만, 시스
젠더가 아니면 트랜스젠더로 분류된다. 따라서 포함 범위가 매우 큰 개념이다.

에이젠더, 데미젠더(데미걸 등), 젠더 플럭스(ex: 걸 플럭스), 뉴트로이스, 트랜스
매스큘린 등이 해당된다. 에이젠더는 젠더가 없음을 뜻하는 성 정체성의 한 종류이
다. 데미젠더는('반'을 뜻하는 "데미"와 '성'을 뜻하는 "젠더"의 합성어) 특정 성(젠
더)과 부분적으로 연관성을 가지는 논바이너리를 뜻한다. 이는 부분적으로 여성 정
체성을 가지는 데미걸, 부분적으로 남성 정체성을 가지는 데미보이 등이 포함된다.
또한 같은 이유로 부분적 젠더성에 대해 "데미"를 붙여 데미논바이너리, 데미플루
이드, 데미플럭스 등으로 사용한다. 데미젠더는 특정 성별이라기보다 특정 젠더성
과 연관있다고 느끼는 사람들을 위한 정체성이다. 젠더 플루이드는 시간에 따라 달

라지는 젠더를 의미하는 정체성이다. 젠더플루이드로 정체화한 사람은 남성, 여성, 뉴트로이스(본인을 여성, 남성이 아닌 제3의 성이라고 생각하는 성 정체성), 또는 여타 다른 논바이너리 정체성, 그리고 몇 정체성들의 조합을 시간에 따라 느끼기도 한다. 이런 변화는 불규칙적이며 개인이 처한 상황에 따라 달리 변하기도 한다. 이들 중 시간에 따라 젠더가 변화하는 농도가 다르거나 에이젠더라 느끼는 사람이 있는데 이들은 젠더 플럭스로 정체화하기도 한다. 트랜스매스큘린은 지정성별이 여성이나 본인의 여성성보다 남성성이 더 크다고 인식하는 트랜스젠더퀴어를 묘사하는 말이다. 그 외에 다양한 정체성들이 있다.

성적 지향

 성적 지향은 자신이 성적으로 이끌리는 이성, 동성, 혹은 복수의 젠더를 나타낸다. 이 때의 끌림은 다른 종류의 끌림을 전제로 하지 않는 성적 끌림에만 한정된 것이 아니라 성적 끌림과 감정적이거나 로맨틱 끌림이 복합적으로 일어나는 것일 수도 있다.

〈 유성애 〉

* 단성애: 성의 구분 없이 하나의 성만을 향한 성적 끌림

* 남성애: 남성 및 남성성에 대한 성적인 끌림을 느끼는 성적 지향성

* 동성애: 같은 젠더의 사람들 사이의 성적인 끌림을 느끼는 성적 지향성.
주로 레즈비언은 여성 동성애자, 게이는 남성 동성애자를 일컫는다.

* 여성애: 여성 및 여성성에 대한 성적 끌림을 느끼는 성적 지향성

* 이성애: 성별이 다른 사람들 사이의 정서적 끌림이나 성적인 끌림을 느끼는 성적
지향성

* 범성애: 성을 구분하지 않거나 성과 관계 없이 사랑하는 것을 의미

* 양성애: 여성과 남성에 대해 성적 매력을 느끼는 성적 지향

〈 에이엄브렐라 〉

프레이섹슈얼 같은 경우, 〈섹슈얼〉이라는 단어를 〈로맨틱〉으로 바꾸면, 잘 알지 못하는 사람에게 로맨틱 끌림을 경험하고, 잘 알게 되면 끌림이 사라진다는 것이다. 이렇게 개념을 섞어서 응용할 수 있다.

* 에이로맨틱: 무로맨틱은 로맨틱 끌림을 경험하지 않는 사람이다. 가끔 에이섹슈얼과 혼동하여 섹스를 하지 않는 사람으로 오해하기도 하지만, 무로맨틱은 로맨틱 끌림과 관련된 것이기 때문에 섹스와는 관련이 없다.

* 에이섹슈얼: 무성애자. 성적 끌림을 경험하지 않는다. 로맨틱과는 별개이다. 로맨틱 끌림을 느끼지 않는 경우는 무로맨틱이며, 무성애자는 사람에 따라 연애를 할 수도 안 할 수도 있다.

* 그레이에이섹슈얼/그레이섹슈얼: 회색성애자/회색무성애자. 무성애와 유성애 사이에 있다고 여겨진다.

* 데미섹슈얼: 정서적인 유대감을 형성한 상대에게만 성적 끌림을 느끼는 사람이다. 이러한 정서적인 유대감이 로맨틱한 감정이 아닐 수도 있고, 반성애자, 반무성애자 등으로 불린다.

* 콰(이)섹슈얼/WTF섹슈얼: 성적 끌림과 미적 끌림 등의 다른 끌림을 구분하지 못하거나, 무성애 스펙트럼에 속하지만 기존의 분류로는 구분할 수 없는 경우.

* 프레이섹슈얼: 잘 알지 못하는 사람에게 성적 끌림을 경험하며, 잘 알게 되면 끌림이 사라진다.

* 리시프로섹슈얼: 화답성애자. 상대가 자신에 대해 먼저 성적으로 끌린 뒤, 자신도 성적 끌림을 경험한다.

* 쿠피오섹슈얼: 성적 끌림을 경험하지 않지만 성적인 교감을 주고받길 원한다.

* 네불라섹슈얼: 성적 끌림의 구별에 어려움을 가진다.

* 오토코리섹슈얼: 대상에 대해 성적 욕구나 판타지가 있으나 그 생각에서 자신이 주체가 되지 않으며, 행동으로 이어질 수 없다.

* 오토모노섹슈얼: 자기 자신에게 성적 끌림을 느낀다.

관계 지향성

〈 모노아모리와 폴리아모리 〉

 모노아모리는 독점적 로맨틱 관계 또는 독점적 에로틱 관계를 의미한다. 보통은 독점연애 정상성에 의거한다. 모노가미와 차이가 있다는 주장도 있고, 차이가 없다는 주장도 있다. 용어의 합의는 아직 엄격하게 이뤄지지 않은 상태이다.

 폴리아모리(Polyamory)는 서로 상대방을 독점하지 않는 관계맺기로, 개인이 동시에 여러 사람과 로맨틱한 또는 성적인 관계를 가지는 것을 지지하는 철학 또는 라이프스타일이다. 여럿을 뜻하는 "폴리(poly)"와 사랑을 뜻하는 "아모르(amore)"의 합성어이며, 우리나라에서는 흔히 비독점적 다자연애로 불린다.

jena56의 이야기
`나와 같은 사람을 바라.`

1. 자기소개

 저는 15살, 제나입니다. 책을 많이 읽는 편입니다.

2. 성 정체성, 지향성

 시스젠더 여성이고, 동성을 로맨틱적으로 좋아하며, 사람에게 성적 끌림을 느끼지 않는 무성애자입니다. 독점 관계를 지향하고 있습니다. 정체화 시기는 초등학교 2학년 때쯤이고, 계기는 같은 반 여자애를 짝사랑하게 되어서 알았습니다.

3. 정신질환과 증상

 우울증이라 대표적으로 우울하고, 무기력하고, 그로 인한 식욕 감소도 있어요. 청소년 상담센터도 다니다가, 2021년에 정식으로 진단을 받았어요. 힘들어서 등교를 거부하다가 정신과에 가게 되었네요.

4. 인간관계

 저희 사촌들이 워낙 어렸을 때부터 친해서 어떤 걸 말을 해도, 그냥 별 거 아닌 것처럼 받아주는 게 감동이었어요. 어두운 얘기를 해도 서스럼 없이 잘 받아주고요.

 정체화하기 전에도 이런 부분들에 대해 잘 받아들여졌다고 생각해요. 성 정체성이나 지향성에 대해 이해 받는다고 느꼈던 것은 아까 말했듯 사촌들이랑 있을 때, 가장 잘 이해 받는다고 느낍니다. 여자 좋아하는 얘기를 해도 그냥 아무렇지 않게 대해줘요. 정신질환이나 증상에 대해서도 힘들 때, 어머니와 아버지가 검정고시 응원해주시는 게 고마웠어요. 학교를 안 가고, 밖에 안 나오는 것들을 이해 못할 수 있잖아요. 외식도 자주 하는데 저를 배려해서 자주 안 하기도 해요. 수용해 주는 태도가 도움이 됐어요.

5. 연애 관계

저는 연애 관계가 손해를 봐도 괜찮은 관계, 손해를 봐도 그러려니 넘어갈 수 있는 관계라고 생각해요. 원래 제가 손익을 자주 따지거든요. '이렇게 도와줬으면 좋겠다. 너가 도와줬으면 좋겠다.' 이런 생각을 많이 하는데, 좋아하는 사람한테는 그런 게 없으니까? 연애 관계에서 아직 좋은 경험까지는 못해봤어요. 경험은 있지만요.

그래서 저는 총체적으로 나를 잘 이해해 주는 사람이 나타났으면 좋겠어요. 저와 지향성이 비슷한 관계가 있었으면 좋겠어요. 아무래도 사촌들은 저와 지향성이 다르거든요. 비슷한 얘기를 나눌 수 있는 사람이 있었으면 좋겠어요. 좀 더. 퀴어 정체화 하고 나서 연애를 시작해서 전후에 달라진 점은 없었고요.

루시안의 이야기
'세상에는 소수자가 아닌 사람은 없다.'

1. 자기소개

경기권에 사는 20살, 루시안이라고 하고요. 이런 저런 일들을 하면서 글도 쓰고, 그림도 그리고, 음악도 하고, 여러 작품 활동을 하면서 살고 있습니다. 음악 쪽에서는 밴드를 하고 바이올린 포지션을 맡아서 하고 있고, 당장 11월에도 공연이 하나 예정되어 있고, 첫 전시회도 준비 중이에요.

2. 성 정체성, 지향성

시스젠더 여성이고요. 레즈비언입니다. 레즈비언이어서 여성을 좋아합니다. 관계는 모노가미, 독점 연애를 지향합니다.

3. 정신질환과 증상

5살 때부터 우울증을 만성으로 가지고 지내다가, 중증으로 발현된 것은 중학교 2학년 때(2018년)였는데, 18살 때쯤에 정점을 찍었어요. 중증으로 발전을 해서 정신과에 입원도 자주 했었고, 중3때(2019년)부터 공황장애가 발현이 됐었어요. 이 부분은 지금도 앓고 있는 중이고, 해리 정체성 장애가 2021년부터 2022년까지 있었어요. 해리 정체성 장애는 특정 상태에 놓여서 트리거가 눌렸을 때, 인격이 변화하고, 돌아왔을 때, 인격이 바뀐 동안의 일을 기억을 못하는 성격 장애예요. 콤플렉스 PTSD(외상 후 스트레스 장애)가 있는데, PTSD를 일으킬 만한 사건이 하나가 아닌 여러 개인 경우를 콤플렉스 PTSD라고 하거든요. 그건 여전히 있어요.

4. 소수적인 정체성들이 본인에게 미친 영향

 제가 여러모로 '소외된 위치에 속했다.'라는 인식 자체가 사회에 대해서 조금 더 예민한 시각을 가지게 도와줬어요. 어쨌든 저도 계속해서 이제 사회 인식이랑 투쟁하는 삶을 살고 있다 보니까, 제가 포함된 부류의 소수자들이 아니더라도 차별을 받으시는 분들을 볼 때, 그분들의 심정을 조금 이해를 하겠더라고요.

 그래도 아무래도 단점이 많죠. 제가 항상 소수에 속해있고 그렇기 때문에 이해받지 못한다는 생각 때문에 오히려 성 정체성과 정신질환이 서로 계속 맞물리면서, 정신질환이 계속 나빠지는 데에 큰 영향을 끼쳤던 것 같아요. 레즈비언이라고 깨달은 게 중학교 3학년 때이고, 쭉 유지 중인데, 사회에 있어서 그렇게 사람들이 성소수자에 대해서 굉장히 비관적인지도 몰랐고, 닫혀 있는 사회라는 것도 인식을 못 하고 있었어요. 중3 때 커밍아웃을 친구한테 했는데, 반응이 너무 냉담했거든요. 그때 '내가 성소수자라서 이해 받지 못한다.'가 아니라 '나는 이상한 사람이고, 모든 부분이 이상해서 이런 부분에서조차 이해받지 못하는 것이다.'라고 생각을 했어요. 그렇게 차별이 극대화되는 상황에서 그걸 스스로의 탓으로 돌렸던 게 있는 것 같아요.

5. 인간관계

 2019년에 일이 정말 많았어요. 많은 인간관계를 잃었고, 얻었어요. 그때 9년지기 친구랑 크게 싸우고 절교를 했었어요. 그 과정에서 어떤 일에 휘말렸는데, 저랑 같은 의견이었던 친구가 같이 산전수전 일을 많이 겪으면서 서로 연대의식이 생겼어요. 아, 그래도 내 주변에 나를 이해해 주는 사람들은 분명 존재하는구나라는 생각이 들면서 이해 받는 느낌이 무엇인지 조금 알게 됐달까요? 그런 긍정적인 경험이 있었던 것 같아요. (중략) 그때 연대하면서 친해졌던 친구는 온전히 신뢰로만 저를 봐줬거든요. 개인의 의견에 대해, 제 목소리가 전혀 힘을 가지지 못하는 상황에서도 믿어주는 친구가 있다는 것 자체가 본질적으로 사람에 대한 신뢰를 키워줬어요.

 퀴어 정체화를 했을 때 상대가 나를 어떻게 생각하는지에 대해서 걱정을 안 했어

요. 상대방이 나를 이렇게 생각하고 있겠거니 싶었어요. 성 정체성이 여러 개 있을
수 있다는 것에 대해서 저도 무지한 상태였고, 그 당시에는 쟤는 '내가 남자를 좋아
하는 여자'라고 보이겠거니라고 생각하고, '정신적으로 건강한 사람이라고 느끼겠구
나.' 이런 식으로 넘겼는데, 정체화 이후에는 소수의 축에 드는 일이 크게 생기니까
상대가 나를 어떻게 생각하는지에 대해서 많이 생각을 하게 되더라고요. 어쨌든 지
금은 상대방이 나를 어떻게 생각하든, 나는 나다라는 생각을 가질 수 있게 되었지
만, 그 당시에는 혼란스러웠고, 학교에 있어서 친구들과의 인간관계가 진짜 중요했
으니까요. 그때, 제가 지향성이 이러하다는 사실에 대하여 부끄러웠던 것 같아요.
그리고 이게 저한테 있어서 인간관계에 있어서 마이너스라고 생각을 했어요. 드러
내면 안 될 것 같은 느낌, 나의 허점인 것 같은 느낌. 그래서 그 후에 인간관계에 있
어서 상대방이 어떤 가치관을 가지고 있는지, 어떤 사상을 가지고 있는지, 퀴어 친
화적인지, 정신적인 부분을 이해해주는지, 이런 것들을 조금 더 먼저 보게 되었던
것 같아요.

 요즘은 오픈 퀴어로 지내서 저랑 조금이라도 친하면 제가 커밍아웃을 해요. 그런
데, 이제 보통 친구들은 그냥 '아, 그렇구나.' 하고 말아요. 왜냐하면 그 친구들도 이
제, 그런 게 개인의 성적인 인식일 뿐이고, 상대방에 대해서 이거를 좋게 생각하든
나쁘게 생각하든, 상대방은 그냥 상대방일 뿐이라는 걸 요즘 알고 있거든요. 별 말
이 없고 '아, 그렇구나.' 하고 말아요. 아니면 포비아적인 기질이 있거나, 아니면 선
입견에 사로잡혀 있거나, 퀴어에 대해서 부정적인 인식을 가지고 있는 사람들은 자
연스럽게 멀어지는 거고요. 제가 이해 받는다고 요즘 느끼는 게, 막 적극적으로 공
감해 주는 데서 그렇게 느끼는 게 아니라 그냥 친구들이 '아, 그렇구나.' 하고 마는
그 태도에서 사실 이해받는다고 느껴요. 상대방한테 혈액형 물어보고, '어, 나 A형
이야.' '나 O형이야.' 하는 것처럼, 그거를 나의 구성요소 중의 하나로 당연하게 봐
주고, 별로 그거에 대해서 깊게 생각하지 않고, '그렇구나.' 하고 넘기는 태도 자체
가 저는 존중받는다고 느껴요.

6. 연애 관계

 연애 관계에 대한 정의는 해가 해를 거듭하고 지나면서 생각이 많이 바뀌었어요. 지금은 연애가 진짜 별 게 아니라, 조금이라도 서로 애틋하게 그리거나, 특별하게 여기는 마음이 있으면, 연애가 될 수 있다고 생각을 해요. 꼭 상대방을 미칠 듯이 매일 밤 생각하고, 좋아하고, 그 상대방을 막 섹슈얼하게 떠올리고, 그러한 욕구로 떠올리고, 꼭 그런 것만이 아니라, 그 사람을 떠올리면 단순히 기분이 좋아지고, 행복해지고 하면 된다고 생각을 해요. 그렇기 때문에, 성별은 더더욱 상관이 없는 거죠. 그러니까, 요즘은 사실 드는 생각은 이런저런 연애를 해보고 느끼는 게, 그냥 '여자다.' 해서 좋아하는 게 아니라, 좋아하고 나서 보니까 여자였던 거예요. 그래서 사실, 성별이 어떻든, 상대방 성향이 어떻든, 내가 딱 보고, 그냥 좋으면 된 거라고 생각해요. 중학교, 고등학교 초에는 제가 레즈비언이라는 것만 알고 있었고, 에이로맨틱, 팬섹슈얼, 뭐, 이런 것들? 굉장히 생소하다고 느꼈어요. 그런 성 정체성이나 지향성을 가진 사람들을 존중하고, 별로 문제가 아니라고 생각을 했어요. 어쨌든 그 사람의 취향일 뿐이고, 내가 강요할 부분은 아니니까? 그런데 그 사람들한테 공감하지는 못 했었거든요. 근데, 차별이 점점 더 좀 양극단으로 치닫는 상황에서, 서로 간의 이해와 연대가 필요한 시점에서는 잘 알아야 한다고 생각을 해서 저도 따로 공부를 하고, 그런 친구들이랑 이야기도 많이 나눠보고, 좀 더 알아가서, 지금은 어느 정도는 알고 있는 상황이지만, 그때는 그 사람들에 대해서, '알 필요는 없지 않나?' 라는 생각을 했어요. 자연스럽게 그 연애 관계, 사랑하는 관계를, 저의 경험대로만 정의를 했던 것 같아요. 어쨌든 저는 섹슈얼하지 않은 관계, 예를 들어서 플라토닉한 관계 등에 대해서는 무지해서 섹슈얼한 쪽으로 국한해서 생각했어요. 과거에는 섹슈얼, 로맨틱 이렇게 한정적으로 생각했다면, 지금은 범위가 넓어져서 서로 떠올렸을 때 좋으면 된 거라고 생각해요. 서로 이렇게 좋아하고, 마음에 들고, 좋은 이야기를 듣고 싶고, 해주고 싶고, 꼭 성적인 관계를 맺고 싶다, 맺고 싶지 않다 해가지고 맺어지는 게 사랑이 아니라고 생각해요. 다만, 제 연애 가치관 같은 경우는 플라토닉보다는 섹슈얼한 쪽이에요.

좋은 경험이 되었던 연애 관계는 처음으로 연애를 했을 때였는데. 그 언니가 혹시라도 볼까봐 자세히 이야기를 못하겠지만, 서로 진짜 좋아했어요. 플라토닉한 관계는 아니었지만, 정신적으로도, 신체적으로도, 굉장히 애정이 높았어요. 언니도 어쨌든 정신질환 때문에, 저랑 같은 장소에 있었고, 그 장소에서 이제 연이 맺혀져서 연애를 하게 되었던 거거든요. 1년 정도 연애를 했었는데, 언니가 저랑 이야기를 하고, 공감을 하는 과정에서 정말 깨달은 게 많았어요. 사회에서 자기랑 달라서 '아, 나 소외되었네?' 라고 느끼는 그런 모든 부분에 대해서, 꼭 뭔가 명칭으로 정해진 명확한 차별이 아니더라도, 소외라는 축에 속하는 그런 사람들이 있는 모든 분야는 그 언니를 통해서 깨달았던 것 같아요. 그 언니랑 이야기를 하고, '아, 이런 부분도 내가 존중받을 수 있구나, 이런 부분도 내가 존중해야 좋구나.' 이런 것들을 깨달으면서 사실 삶에 있어서, 사회에서 살아갈 때, '소수자가 아닌 사람은 없다.' 라는 생각이 들었어요. 왜냐하면, 인간은 다 고유하기 때문에, 그 고유한 부분에서 절대로 모든 점이 다수에 속할 수는 없거든요. 연애에서 가장 많이 얻어간 건 이 부분이었다고 생각이 들어요.

퀴어 정체화 하기 전후 관계에서 정체화 전에는 당연히 헤테로인 줄 알고, 서로 다른 성 정체성이 개념화되어서 존재한다는 것 자체를 인지를 못하고 있었거든요. 그래서 연애를 안 해봤어요. 퀴어 정체화를 하기 전에는 남자애들을 보는데, 애들이 다 연애를 하는데, 저는 딱히 끌리는 애가 없는 거예요. '내가 남자 보는 눈이 높나?' 이 생각까지 했어요. '웬만한 애들은 진짜 다 그냥 눈에 안 들어오는데 어떡하지?' 하는 생각도 들고, '내가 좀 이상한가?'라고 생각을 했어요. 성 정체성이 소수자 축에 속하는 거는 전혀 이상한 일이 아니지만요. 검색을 해봤어요. 여자애들한테 느꼈던 약간 미묘한 감정들은 '그냥 우정이 너무 심한가.' 하고 넘겼어요. 처음에 레즈비언보다는 아예 로맨틱하거나 섹슈얼한 감정을 가지지 않는 그런 게 먼저 들어와서 '내가 이쪽일 수 있겠구나.' 라고 생각하고 있었는데, '내가 여성을 좋아할 수 있겠다.' 라는 생각이 들기 시작한 거죠. 이후에 '내가 여자를 좋아하는구나.' 라는 게 확실시된 다음에는, 연애에 있어서 많은 시도를 해봤던 것 같아요. '내가 이상한

게 아니구나.', '나처럼 여성을 좋아하는 사람들이 분명히 있구나.' 라는 거를 인식을 하고 나서 자신이 생겼어요. 정체화 하기 전보다 당당해졌어요.

7. 바라는 점

 자기를 레즈비언이라고 정체화하는 사람이 많다고 해도, 우리나라에서는 아직도 소수자의 축에 속한단 말이죠? 근데, 그 안에서도 이제 계속 불신을 일으키는 사건 (데이트 폭력 등)들이 발생을 하거나, 레즈비언들 사이에서도 '이런 사람은 싫다.', '이런 사람은 좋다.'하는 그런 세세한 차별적인 인식, 논쟁, 대립들이 있다고 생각해요. 서로 헐뜯고, 비하하고, 그런 것들이 소수자들이 연대하는데 조금 더 어려움을 느끼지 않나? 라고 생각해요. 물론, 어느 정도의 논쟁은 불가피하고 필요하지만, 서로에게 기본적으로 연대를 하고, 공감하는 분위기가 구성이 더 되어 있었다면 좋지 않았을까? 그래서 앞으로 이런 부분이 개선되기를 가장 원하는 것 같아요.

P.S. 어떤 분야에서든 소수자에 속하는 사람들한테 전하고 싶은 말인데,

절대로 본인이 홀로 남겨져 있다는 생각을 하지 않았으면 좋겠어요.

소수자는 없고, 소수자라는 것을 다수자에 비교되는 하나의 집단으로

분류를 하자면, 세상은 하나의 집단으로 구성되어 있는 걸 수 있거든요.

절대 혼자 남겨져 있는 게 아니고, 그냥 사람들은 각자 다른 방식으로

홀로 남겨져 있다고 느낄 뿐이니까요. 홀로 남겨진 게 아니라,

다 같이 같은 공간에서 살고 있는 걸 수도 있다는 말을 하고 싶었어요.

알렉의 이야기
' 안전한 사회를 바라며 '

1. 자기소개
 20살 재수생 김알렉이고, 부산 쪽에 살고 있습니다. 자퇴해서 검정고시 치고 재수해서 대학 갈 준비하고 있어요.

2. 성 정체성, 지향성
 논바이너리 트랜스남성이고, 성적 지향은 지금 고민 중이에요. 호모플렉시블인 것 같은데, 정확하게는 잘 모르겠어요. 성적 지향에 대해 정체화를 한 건 오래 전이었는데, 되게 어렸을 때부터 어쨌든 여자도 들고 남자도 좋다라는 생각을 계속했기 때문에 이건 딱히 계기가 있다고 하기는 어려울 것 같아요.

 성별 정체성에 대해서는 한 번 퀴어 행사를 간 적이 있는데 거기서 처음 논바이너리라는 단어를 접했거든요. 저도 그 전부터 '제가 완전히 여자는 아닌 것 같다, 완전히 지정 성별은 아닌 것 같다.' 라고 생각을 하고 있었는데 저를 표현할 만한 단어를 찾아본 적이 없었어요. 근데 그때 논바이너리라는 단어를 알게 됐고 이렇게 논바이너리 트랜스 남성으로 정체화하게 됐습니다.

3. 정신질환과 증상
 일단 조울증이 있고요. 그 다음에 섭식장애가 있어요. 공황도 가끔 오기는 하는데 이거는 공황장애라고 부를 만큼은 아닌 것 같아요. 정신과에 가게 된 계기는 섭식장애가 너무 심해져 가지고 주변에서 권유를 받았어요. '이제 진짜 가야 될 것 같다. 안 그러면 몸이 너무 많이 상하는 것 같다.' 그렇게요.

4. 소수적인 정체성 및 지향성들이 본인에게 미친 영향

저는 성소수자 정체성 때문에 학교를 자퇴했어요. 학교폭력이 있어서요. 이런 것도 대답이 될 수 있을까요? 당시에 이제 여자친구를 사귀고 있었는데, 제가 그때는 여자로 취급되고 있어서 '쟤는 동성애자다.' 이러면서 학교 폭력이 있어서 그게 자퇴하는 데에 영향을 많이 미쳤어요. 그것 때문에 정신질환도 되게 악화됐고요.

5. 인간관계

긍정적인 경험은 많이 있죠? 어쨌든 여자친구를 사귀고 있을 때는 그 사람이 저희 퀴어 정체성을 전부 이해해 주지는 못했지만, 저를 지지해 주는 사람 중에 한 명이었으니까요.

퀴어 정체화를 하고 나서는 성소수자에게 대하는 차별 발언 같은 것에 훨씬 민감해졌어요. 혐오 표현을 하는 사람들이랑 조금 관계를 멀리하게 됐죠. 친화적인 사람들하고 지내게 되었고요.

중학생 때, 저에 대해 인정 받는다고 느꼈어요. 제가 좋아하던 선생님, 원어민 선생님이 커밍아웃에 대한 상담도 해주시고, 자기 친구들 중 성소수자 친구들은 어떻게 지내고 있는지에 대한 이야기도 해주셨어요. 그분은 미국 국적자셨는데, 미국의 상황은 어떤지 등의 이야기도 해주셨고, 어떻게 하면 조금 더 밝은 쪽을 바라볼 수 있는지에 대한 도움도 많이 주셨고요. 이 때, 또 다른 선생님의 경우에는 자습 시간이었는데, 다른 애들이 성소수자에 대해서 안 좋은 이야기 하고 있을 때 바로 지적해서 그렇게 말하면 안 된다고 하셨거든요. 제가 그 분한테 직접적으로 커밍아웃을 한 사이는 아니었지만, 그것 역시 지지 받는다는 경험이었어요. 안전하다는 느낌을 받았죠.

정신질환이나 증상에 대해서는 이해 받는다고 느꼈던 경험이 많이 없어요. 제가 발병한지가 그렇게 오래 되지 않아서요. 성소수자 정체화 한 건 중학교 1학년 무렵 쯤이라 되게 오래 되었는데, 발병은 2년 전이니까요. 제가 정신질환이 있다는 사실에 대해서는 많은 사람들에게 털어놓지도 않았고요.

6. 연애 관계

연애 관계는 설렘이 있는 사이예요. 꼭 독점할 필요는 없다고 생각하는데, 저는 독점 연애를 원해요. 약간 모순적인가? 저는 폴리아모리로 여러 사람한테 동시에 끌림을 느끼긴 하는데, 독점 연애를 지향하고 있어요. 제가 경험한 연애 관계에서는 좋은 경험이 된 게 현재 여자친구예요. 많이 이해해주고 있어요. 앞으로의 관계에서는 저의 정신질환을 수용해주었으면 좋겠고, 어쨌든 제가 퀴어하다는 것을 받아들여줬으면 해요. 어쨌든 미래에 트랜지션 수술을 할 예정이니, 이것에 대해서 이해를 해줄 수 있는 사람이면 좋겠어요.

P.S. 저는 폐쇄병동에 입원한 적이 있었어요.

정신질환자이자 성소수자로서 폐쇄병동 안에서

제 성별에 맞는 방을 배정받지 못하기도 했어서

여기가 퀴어 친화적이었으면 좋겠다,

병원에서 고민을 해주었으면 좋겠다는 생각을 했었어요.

라파의 이야기
' 힘들고, 행복했고, 빛날 거야.'

1. 자기소개

소수자의 정신 건강에 대해 연구하고자 하는 야망을 가지고 있는 라파엘리노라고 합니다. 원래는 리노 두 글자 닉네임이었는데, 옛날에 마비노기 캐릭터 닉네임 쓰려고 할 때, 누가 이미 쓰고 있어서 성당 다닐 때 세례명, 라파엘을 합쳐서 라파엘리노로 닉네임을 쓰게 됐네요.

2. 성 정체성, 지향성

논바이너리로 젠더 정체화를 했고요. 성 정체성은 안드로섹슈얼, 남성에게 약간 성적 매력을 느끼고, 로맨틱은 지금 팬이라고 생각하고 있거든요. 성별을 가리지 않고 로맨틱을 느낄 수 있는 그런 느낌? 관계 지향성은 모노가미이고요. 성 정체성이나 지향성이나 이런 것들을 발견하게 된 계기에 대해서는 제가 남중을 다닐 때, 친구들이 전자기기나 휴대폰을 반입해서 야동을 대놓고 틀어서 보는데, 호기심에 따라갔는데, 여성 역할을 수행하고 계신 분한테는 전혀 눈길이 가지 않고, 딱 남성에게만 눈길이 가고, 성욕이 느껴지니까 설마 싶어서 집에 와서 찾아본 게 계기였어요.

3. 정신질환과 질환

제2형 양극성 장애를 앓고 있고요. 가끔씩 찾아보는 경조증과 이제 가끔씩 찾아오는 우울 삽화, 그 친구들은 아마 인생의 반려자로 살게 될 것 같아요.

4. 소수적인 정체성들이 본인에게 미친 영향

논바이너리라고 정체화하기 전에 제가 남성이라고 알고 있었을 때, 그때는 '제가 동성을 좋아하는구나.' 생각을 해서 충격이 있기도 했고, 그 얘기가 소문이 나서 학교 폭력을 당하기도 했어요. 정신질환의 근원도 아마 그쪽일 것 같은데? 그래도 지금의 저를 있게 해준 그런 친구들이니까, 저 자신이잖아요.

5. 인간관계

얼마 전의 일이에요. 저희 어머니가 제가 퀴어인 걸 아시는데, 제가 '내가 나중에 남자랑 결혼하고 싶다고 하면은 어떡할 거야?' 하니까 '결혼하는 거지, 뭐.' 이러는 거예요. '나 뭐 드레스 같은 거 입어도 돼?' 이랬더니, '라파야, 네 인생의 주인공도 너고, 너 결혼식은 인생의 주인공 중에 정말 주인공이 되는 날이니까, 너 하고 싶은 거 다 해도 돼!' 이래서 감동. 근데, '결혼식 오는 친척 어른들은 좀 기절하시지 않을까?' 이랬더니 엄마가 '오지 말라 그래.' 이러는 거예요. 너무 웃겼는데, 그게 저한테 정말 큰 힘이 되고 내 가족이 나를 이렇게 지지해 주는구나 싶었어요. 그리고 주변에 생물학적으로 여성인 친구들이 좀 많아졌다라는 게 있어요. 안전한 남자라는 느낌? 관심사도 똑같잖아요, 남성. 오픈퀴어여서 더 그런 것 같아요.

이해 받는 경험에 대해서는 정체화 초기 중학생 때, 제가 동성을 좋아할 수 있다는 사실을 전혀 생각도 못하고 있었던 사람이기 때문에, 많이 충격을 받기도 하고, 불안하기도 했거든요. 주변 어른들에게 아무한테도 얘기를 못 하다가, 딱 저희 누나한테만 얘기를 했는데, '네가 예전에 여자 좋아했듯이 다른 남자애들 여자 좋아하듯이 너는 남자를 좋아하는 것 뿐인데, 왜 그거 가지고 쪽팔려 하냐?'라고 되게 쌀쌀맞은 투로 얘기를 하는데, 그게 좀 많이 위안이 됐던 것 같아요.

6. 연애 관계

연애는 신뢰인 것 같아요. 고민 없이 기댈 수도 있고, 뭔가 털어놓으면 고민 없이 받아들이는 관계. 사실 연인 관계에서 뭐 바람을 피우거나 이런 게 충격적인 거는 신뢰 관계가 어긋났기 때문이잖아요? 그러니까 저는 연애를 서로 신뢰할 수 있는 그런 관계라고 말하고 싶네요?

 정체회를 14살 때 일찍 해서 그 전에는 언애 한 적이 없어요. 그리고 2019년, 성인이 되기 직전, 대학생 신입생 때 했던 연애에서 서울 퀴퍼에 남자친구랑 같이 갔어요. 그 때 행진하는데 제가 공황 발작이 오는 거예요? '잠깐만, 나 지금 너무 숨쉬기가 힘들고 어지럽고 막 그렇다.' 이러니까 걔가 저를 업고 약간 조용한 곳까지 데려가서 안정될 때까지 기다려줬던 기억이 있어요. 고민하지 않고 바로 그런 태도가 나오더라고요, 몸에 밴 듯. 그래서 '이 사람 진짜 좋은 사람이었구나.' 싶었어요.

 예전에 사귀었던 친구는 본인이 별로 착한 사람이 아니래요. 다정한 사람도 아니라고 했는데, 저한테는 너무 다정한 거예요. 제 앞에 있을 때도 다른 사람한테 다정하게 착하게 하고 그래서 '얘가 지금 나한테 잘 보이려고 하나?' 해서 귀여웠어요.

 앞으로 연애를 한다면, 보통 연애하면 친구는 포기해야 한다고 하는데, 그러고 싶지 않아요. 퀴어 친구 중에 저랑 8년째 아는 친구가 있는데, 남친 생겼다고 연락 그만하자고 할 수는 없잖아요. 그래서 친구와 연애 모두 소중해서 둘 다 포기하지 않을 수 있었으면 좋겠어요.

P.S. 퀴어들이 덜 힘들고 더 행복했으면 좋겠어요.

애리의 이야기
' 사랑 바보 '

1. 자기소개

 사랑이 삶의 원동력인 사람, 애리라고 합니다. 이게 개인적인 일이기도 하고, 사회적인 부분이라고도 생각을 해요. 개인적으로는 누군가를 사랑할 때 가장 힘이 나고, 제게 삶의 원동력이 되더라고요. 뭔가 그 사람을 더 보기 위해서 좀 더 일찍 일어나고, 잘 보이기 위해서 스스로 노력하게 되고, 무기력하던 내가 일어날 수 있게 힘이 되어주고, 사회적인 것에서는 누구나 조금씩 상대방을 조금 사랑하는 마음을 가지면 사회적인 문제 같은 것들도 다 조금씩이라도 좀 사라지지 않을까 하는 생각이 있었어요. 서로 사랑하면서 살면 좋잖아요! 그래서 저는 사랑이 삶의 원동력이라고 생각해요.

2. 성 정체성, 지향성

 저는 시스젠더 바이로맨틱 바이섹슈얼이고 모노가미입니다. 저는 여중을 나왔어요. 근데, 어떤 한 친구가 되게 예쁜 거예요. 보통 반에 그냥 예쁜 애들이 아니라 다르게 예쁘게 느껴지는 거예요. '왜 저 친구는 나한테 좀 더 다르게 느껴질까?' 라고 계속 생각을 했죠. 그때까지 저는 세상에 '게이', '레즈' 이렇게 둘만 있는 줄 알았어요. 근데 양성애자라는 정체성이 있다는 걸 찾아봐서 안 거죠. 그때 '내가 여기에 속하는구나.' 라고 깨닫게 되었어요. 저는 특히나 동성애를 특히나 죄악으로 여겨지는 그런 기독교 집안에서 자라와서 혼란스럽기도 했지만, 받아들이는 거는 어렵진 않았어요. 왜냐하면 감정이 대한 확신이 있었고, 그걸 깨닫고 나서 제 감정을 되돌아

봤을 때 제일 처음 동성에게 끌렸던 건 9살 때였어요. 긴 생머리에 안경을 쓴 2살 많은 언니였는데 인라인 스케이트를 타고, 문방구 앞에서 같이 뽑기를 했던 기억이 나거든요. 그때 그 언니가 너무 멋있고, 예뻤어요. 좋아가지고 계속 잘 따라다닐 정도로요. 그 때는 이 언니가 그냥 너무 좋아, 감정을 모르니까 무작정 좋아, 이렇게만 얘기했는데, 지금 생각해 보면 로맨틱적으로 좋아한 거였던 거죠.

3. 정신질환과 증상

지금 우울증과 불안장애, 불면증, 무기력증이 있어요. 우울증을 정식으로 진단 받은 것은 18년도 1월 달이고, 약물치료도 그때 이제 시작을 해서 지금까지 이어지게 되었고요. 불면증은 20년 후반 쯤 시작해서 지금까지 같이 치료를 받고 있어요. 약이 없으면 이제 잠을 잘 잘 수 없는 상태예요. 어렸을 때부터 우울증을 가지고 있었다고 생각해요. 자살 사고도 있었고, 삶이 무너지고 이러니까 치료도 받고 싶었죠. 제가 원하는 건 그냥 보통 사람들처럼 살고 싶었다는 거예요. 이걸 언제 느꼈냐면, 다들 사소한 것에도 웃고 울고 하는데 저는 감정이 없었거든요. 아무것도 안 느껴지고, 할 얘기도 없고, 그래서 소외감을 느끼고 '나도 저럴 수 있을까? 저렇게 되고 싶다, 어떻게 하면 저렇게 될 수 있을까?' 하고 생각했어요. 저는 고3이니까 수능 핑계를 대고 '집중이 잘 안 돼서 집중을 잘하기 위해서 정신과 진료 받아보면 안 되냐.' 해서 우울증이라는 게 나왔죠.

사실 최근에 견디기가 어려워서 약물 자해를 했는데, 어차피 안 죽는 걸 알아서 침착하게 주변 사람들에게 알렸는데, 정작 저는 불안하지도, 공허하지도 않아서 좋았어요. 근데 이 상태가 지금 건강하지 않는다는 걸 스스로 인지를 해서 오늘 아까 병원 간다고 한 게 정신과 간 거였거든요. 그래서 약도 조절을 해서 온 상태예요. 자기 객관화를 스스로 잘 하려고 끊임없이 노력을 하고 있어요.

4. 사람들과의 이야기

전 애인의 데이트 폭력으로 인해서 굉장히 고통을 겪었던 시기가 있었는데요. 전애인이 이제 이별을 받아들이지 못하고, 행패를 부렸던 적이 있었거든요. 새벽에 길거리에서 몇 시간 동안 저를 붙잡고 이제 놔주지를 않고, 진정을 못하니까 이제 제가 '집에서 안정을 취하고 그 다음에 귀가를 하자.' 이렇게 해서 집에 데려왔더니 더 난폭해진 거죠? 아예 드러눕고 나가지를 않았어요. 근데 제 현 애인이 그때는 친구였는데. 전애인을 제가 어떻게든 어찌저찌 잘 설득해서 돌려보내고…. 생명의 위협과 온갖 고통과 공포를 다 느낀 상태에서 정말 너무 무서웠어서 지금 제 애인한테 '나 지금 너무 무서워서 와줄 수 있냐.' 고 이렇게 보냈어요. 새벽 거의 동 트기 직전이었는데, 정말 망설임 없이 한달음에 달려왔어요. 뛰어서 땀이 범벅이 돼서 와서 바로 저를 진정시키고, 안정시키고, 제가 떨면서 자지도 못하니까 일단은 약 먹고 진정하고 쉬자 해서 잠드는 것까지 확인을 하고, 그렇게 돌아갔던 기억이 나거든요. 잊지 못할 것 같아요. 그렇게 누군가가 저를 위해서 정말 힘껏 뛰어와주는 경험이 살면서 얼마나 있겠어요? 그 자체가 저한테는 너무 고마웠어요.

그리고 정말 사랑하는 친구 얘기를 꼭 하고 싶었어요. 제가 고3 때, 이제 정말 죽으려고 한 적 있었어요. 너무 우울해서 자살을 하고 싶어서 아파트 옥상에 올라간 적이 있었는데 보통은 높은 곳에 올라가서 아래를 내려다보면 공포심이 느껴지잖아요. 그러면 좀 마음을 진정시키고 다시 돌아가곤 했는데, 그날은 이상하게 용기가 나더라고요. 이대로라면 정말 뛰어 내려서 죽을 수 있을 것 같아 하는 걸 자각한 순간 '진짜? 여기서 진짜로 죽을 수 있겠다.' 라는 생각이 들었어요. 그때가 학교 1교시 시간이었고, 수업 자습 중이던 친구에게 전화를 걸었어요. 나 아파트 옥상이야 라고 했는데, 같은 반이었던 친구가 바로 '선생님 저 보건실 갔다 올게요!' 하고, 학교에서 제 집으로 바로 달려온 거예요. 심지어 그 친구는 발이 약간 불편한 친군데, 정말 있는 힘껏 뛰어서 달려온 거예요. 옥상까지 와서 저를 보자마자. 정말 친구여서 등짝 몇 대 때린다 하고 잘 달래가지고 같이 학교를 걸어 올라갔던 기억이 나거든요. 그때 그 친구가 아니었으면, 정말 그 시기를 못 이겼을 거예요.

이렇게 두 기억이 저한테는 정말 지치고 힘이 들 때마다 떠올려지는 기억이에요.

31

퀴어 정체성과 관련해서 중고등학생 때 아웃팅을 당해서 사람이 많이 거르고 걸러졌죠. 곁에 제가 양성애자인 걸 다 아는 친구들만 남았어요. 애인들도 그랬고요. 애초에 연애 시작할 때 다 밝혀요. 사귀고 있는데 포비아인 것을 알면 손해 보는 것 같고요. 부모님한테도 커밍아웃 했는데 이미 알고 계시더라고요? 근데 공교롭게도 제가 남자 애인만 사귀어서 부모님은 제가 이성애자가 되신 줄 알고, '그치만 남자친구 사귀는 거잖아?' 이러세요.

다행스러우면서도 신기한 사실은 중학교 동창들이 만나고 보니 다 퀴어여서 나 양성애자인 것 같아 하면 너도? 나도 레즈비언이야! 그렇게 해서 이어진 게 10년이 다 되어가네요. 대학교 친구들도 대부분 그렇거나 편견이 없는 친구였어요.

5. 연애 관계
〈똑 닮은 딸〉이라는 웹툰 아세요? 연인이랑 친구랑 왜 다른 건지, 뭐가 다른 건지에 대해서 나오는데요. 저도 그 부분에 대해서 굉장히 많이 고민을 해봤거든요. 맛있는 것 같이 먹는 행위는 친구랑도 연인이랑도 할 수 있고, 뭐 생각나고, 걱정되고, 좋은 부분 같이 공유하고 하는 것도 친구랑도 할 수 있는데 왜 연인은 더 다른 것인가? 연인과 친구의 다른 점은 동반 수면의 욕구인 것 같아요. 아침을 같이 맞이하고 싶은 사람이 연애 관계라고 생각이 들어요. 원래 남이랑 잠을 잘 못 자거든요. 이제 친구랑 잘 때랑 연인이랑 잘 때 느낌이 완전히 다르더라고요.

애인은 항상 표현을 많이 해줘요. 표현을 아끼지 않고, 성장할 수 있게 도움을 많이 준다고 해야 되나? 그리고, 절대 혼자 있게 두지 않아요. 그니까 물리적으로 말고 정신적으로 외로움을 느끼려고 해도 확신을 주는 거죠. '나는 언제나 너의 곁에 있을 것이고, 나는 너를 언제나 지지하고 있고, 응원하고 있고, 힘든 순간에도 나는 너의 곁에 있어줄 것이다. 이런 생각 하지 말라.' 그게 저한테는 가장 안정감을 준 것 같아요.

그리고 제가 우울증이 정말 심하면 청소를 잘 못할 때가 있어요. 무기력함이 심할 때 애인이 정말 묵묵하게 그냥 치워줄 때? 정말 너무 미안하다. 내가 이런 모습 보여서 미안하다고 하니까 '아니, 괜찮아. 누구나 이럴 때가 있는 거야.' 라고 말해줬을 때 의지가 많이 됐어요.

앞으로 바라는 점은 '사람도 사랑도 변해도 된다고 생각하지만, 거짓과 범죄만 저지르지 마라.' 이거는 너무 유명한 트위터 명언이죠. '널 사랑한 걸 후회하게 하지 말아라.' 그것만 아니면, 저는 있는 힘껏, 제 마음을 다해 사랑을 할 것입니다.

과거에 제 지향성에 대해 떨떠름해 하는 사람이 있긴 했어요. '나는 나야. 나는 내가 사랑하는 건 너야. 변하지 않을 거야.' 라고 저도 확신을 줬죠. 왜냐하면, 그 사람도 양성애자를 만난 게 처음이고, 혼란스러울 수 있다고는 생각을 해서 저도 그거를 간과하지 않으려고 노력을 했어요. 변화된 점은 상대방이 질투할 대상이 두 배로 늘었다는 것 빼고는 없어요.

P.S. 애인과도 문답을 했는데, 재미 있었어요.

토드의 이야기
' 튀려고 하지 않아도 튀는 '

1. 자기소개

부산에 살고 있는 23살 토드라고 하고요. 퀴어 활동을 시작한 지 이제 거의 2년 반 정도 되었네요. 사람들과 만나는 것 자체도 SNS로 시작하게 되어서 벽장에서 나온 지 2년 반이 되었다고 보시면 될 것 같아요.

2. 성 정체성, 지향성

시스젠더 남성이고, 같은 남성을 좋아하고, 독점 연애를 원합니다. 정체화는 8년 전, 15살 쯤 하게 되었네요. 제가 자취를 시작하면서 활동을 해보고 싶어서 SNS를 시작했는데, 2-3주 활동하다 보니 퀴어에 관련한 사람이 아니면 내 계정을 볼 일이 있을까? 생각이 들어서 활동을 본격적으로 하게 됐어요.

3. 정신질환과 증상

여태까지 가지고 있었던 건 불안장애랑 우울증, 전환장애, 이렇게 세 가지로 볼 수 있는데, 불안장애나 우울증 같은 경우에는 10살 때부터 심하게 있었고요. 전환장애 같은 경우에는 18살에 발현이 처음 됐었어요. 치료하면서 불안장애나 우울증은 거의 잘 안 나타나고, 전환장애만 이따금씩 나오고 있어요. 공황장애는 본인이 예기치 못한 상황에서 언제 어떻게 일어날지 모르는 경우가 많은데, 전환장애는 특정한 상황에 놓이면 증상이 발생한다고 알고 있어요. 저 같은 경우에는 고등학생 때 발현 됐는데 증상을 발현시키는 게 학교여서 문제가 컸어요. 지금 같은 경우에는 심적으로 되게 몰리는 상태에 놓이면 그런 증상이 나오는 것 같아요. 호흡이 가빠지거나 손발이 떨리는 것부터 시작해서 호흡곤란이나 발작 경련까지도 가는 편입니다.

4. 소수적인 정체성들이 본인에게 미친 영향
 인간관계의 폭이 넓어졌다는 게 사실 크게 다가왔어요. 이렇게 다양한 사람들과 어떤 공통점을 가지고 교류를 할 수 있고, 잘 알지 못하는 일면식이 없는 사람과도 이런 공통점을 통해서 결속력을 가져올 수 있다는 점이 되게 크게 다가오더라고요.

5. 인간관계
 살면서 집에서 지원을 많이 받는 편이었는데요. 특히 전환장애가 발현되고 나서부터 그걸 극복하고 지금까지 많이 지원을 받았어요. 그래서 가끔씩 연락할 때 뜬금없이 감사하다고 말을 하는데, 그럴 때마다 저한테 이겨내줘서 고맙다고 말씀을 하시거든요. 그럴 때마다 삶에 대해서 마음가짐을 새롭게 다지게 되기도 하고요. 제가 계속 감사하다고 생각하는데, 오히려 고마워 해주시는 게 인상 깊었어요.

 지방에서 대학을 나와서 서울로 취직을 하면 아는 사람도 없고 되게 외로울 것 같다는 얘기를 동기들이 많이 하더라고요? 오히려 달라요. 저는 퀴어 정체화 하고 나서 다양한 지역에 사는 사람들, 다양한 직업을 가진 사람들을 만날 수 있는 기회가 오히려 생겨서 어느 지역을 가도 그렇게 외롭다는 느낌을 안 받을 것 같아요.

 올해 대구 퀴어퍼레이드랑 서울 퀴어퍼레이드를 처음으로 갔는데요. 서울에서 행진을 했는데 서울 퀴어 프라이드 행진에서 행인 분들이나 아니면 운전하던 분들이 되게 손 흔들어주시고 응원해 주시고 그랬었거든요. 역시 그것도 되게 이해 받는다고 느끼고 되게 행복했어요.

 정신질환에 대해서는 믿을 수 있는 사람에게는 말을 하는데, 돌이켜보면 '이해 받지 못한다.' 라는 거부감을 못 느꼈어요. 그래서 얘기하는 것 자체에 불안함이 없어요. 이런 이야기는 특히 와전될 수도 있고 소문이 퍼질 수도 있고 그럴 수 있는데, 제가 그런 감정들을 느끼지 못했다는 거 자체가 '되게 이해 받았던 게 아닐까?' 라고 이 인터뷰를 준비하면서 느꼈어요.

5. 연애 관계

저는 이상형을 물어보면, 항상 얘기하는 내용이 배울 점이 많은 사람이었거든요. 서로가 서로에게 많이 배울 수 있는 관계였으면 좋겠다라는 생각을 항상 해왔고, 그러면서 기댈 수 있고 도움을 줄 수도 있는 그러한 상부상조를 지향해요.

연애를 많이 해본 편은 아니라서 크게 기억이 남는 건 없지만, 지금 연애를 하고 있어요. 살아오면서 느끼지 못했던 다른 유형의 내 편이 생긴다는 게 좋고, 누구에게도 말하지 못하는 고민들이나 속마음을 편하게 토로할 수 있고, 해답을 찾는 데에 도움을 받는 게 좋아요.

관계에서 저랑 상호작용을 할 누군가를 바라기보다는 저 자신이 인간관계에 너무 얽매지도 얽매이지도 않았으면 좋겠다라고 생각을 했어요. 상대방을 컨트롤 하는 것보다 내가 나 자신을 바꾸는 게 더 쉬우니까요. 연애 관계는 지금 같은 관계가 지속되면서 서로 많이 배우면서 감사할 수 있었으면 좋겠네요.

P.S. 퀴어문화축제 행진하면서 봤던 글인데요,
'숙제하며 살지 말고, 축제하며 살자. 우리!' 라고 말하고 싶네요.

햄요의 이야기
' 나침반도 지도도 없이
정상성의 바다를 헤엄치는 작은 배 '

1. 자기소개
 제 이름은 이리우고, 닉네임은 '햄스터 요정', 줄여서 '햄요'예요.

2. 성 정체성, 지향성
 저는 트랜스여성(여성90~100 에이 0~10)에 비남성로맨틱 비남성플렉시블팬섹
슈얼 데미로맨틱 데미섹슈얼(애정도, 친밀도와 섹슈얼텐션이 비례하는) 지향성을
가지고 있어요. 로맨틱적으로도, 섹슈얼적으로 특히 여성이나 논바이너리 정체성인
사람한테 끌리는 편이에요. 조금 특이(queer)하죠? (웃음)

3. 정신질환과 증상
 진단 받은 정신질환은 중증은 양극성 정동장애, 경계선 성격장애, ADHD, 발달장
애, 비언어, 언어, 성적 폭행에 의한 트라우마와 PTSD가 있고 중증은 아닌 공포증
3~4개와(다족류, 식물공포증 등) 망상장애 등의 질환을 앓고 있어요.

4. 소수적인 정체성들이 본인에게 미친 영향
 지향성도 정체성도 긍정적인데, 이왕이면 시스젠더였으면 좋겠다는 느낌이에요.
그리고 정상성 사회에 전혀 낄 수 없는 사람이 되어버렸죠. 스스로 정상성 사회에

껴서 어울려보려고 많이 노력해봤지만, 여성호모소셜에 끼는 것 자체는 되어도 목소리를 들리게(퀴어인걸 들키게) 되거나 아니면 정신질환 증상이 튀어나오면 그대로 타자화 돼서 특이한 사람이 되어버리니까요.

정체성, 지향성, 질환들은 저를 정말 어디에도 끼기 힘든 사람으로 만들었다고 생각해요. 심지어 퀴어 커뮤니티에서도요. 발달장애까지 있으니 정말 낯선 곳에서 길을 잃고 혼자 서 있는데 아무도 관심을 주지 않는 상태의 소녀 그 자체 같다고 생각을 해요.

5. 인간관계
긍정적인 경험은 별로 없었어요. 애초에 지지해 주는 관계 경험을 별로 겪어보지 못해서요. 그래도 지금 첫사랑이자 애인이 저를 많이 지지해줘서 기쁘고 좋습니다. 많은 위안이 돼요. 제가 정신병이 심하다보니 증상 발화가 굉장히 많은데, 가까이서 그런 걸 다 이해해주고, 받아주면서 조금씩 이렇게 개선시켜주려고 노력하는 점이 저한테는 크게 위안이 되었어요. 또한, 정체성이나 지향성 같은 것에서 이제 서로 잘 맞으니까(섹슈얼 지향 빼고) 그리고 '이런 식으로 해 보는 게 좋을 것 같다'라는 느낌으로 조언을 해주거나, 그런 경우가 굉장히 많아서, 제가 생각을 정리하고 발전하는 데 도움이 많이 됐어요.

퀴어 정체화 전후의 인간관계는 싹 변했어요. 모든 관계가 끊어졌고 새로 생기게 됐어요. 어떻게 한명도 앨라이(퀴어를 지지하는 사람)가 아닌지, 다들 어색해하거나 싫어하더라고요. 전에는 교류하던 사람들이 고등학교 친구들, 그림 그리면서 만났던 사람들이 있었는데, 비퀴어에다가 비정신질환자들인데다가 이해도도 낮아서 저를 이해를 잘 못해서 상처가 돼서 인간관계를 다 끊어버린 거죠. '더 같이 못 있겠다.' 라는 느낌이 들어서.

성 정체성 및 지향성에 대해 이해 받는다고 느꼈던 경험은 퀴어들한테밖에 없어요.

비퀴어들에게는 아직 전혀 없습니다. 이해 받는다는 느낌은 퀴어 커뮤니티에 속했을 때, 느꼈던 것 같아요. 퀴어 커뮤니티가 정상성 사회에 속할 수 없는 퀴어들에게 정말 중요한 역할을 한다고 생각합니다. 안도감도 들었고, 안정감이 컸어요. '혼자가 아니다.' 라는 느낌이 되게 큰 도움이 되었어요. 사회성을 기르려면 사람들을 많이 만날 필요가 있는데, 커트라인이 확 낮아지고, 이해를 받을 수 있는 사람들하고 함께 할 수 있으니까, 좀 더 제가 발전하는 데에 지지가 되었죠. 커뮤니티 내에서 정보도 많이 얻을 수 있고요.

 정신질환에 대해서도 퀴어 커뮤니티에서 이해 받는다는 경험을 느꼈어요. 같은 커뮤니티 내에서 정신질환과 장애를 가진 사람들도 소수지만 존재하기에 그 속에서 가장 이해 받는다는 느낌을 크게 느낄 수 있었던 것 같아요. 당사자가 아니면 이해하는데 아무래도 제약이 크다고 생각합니다. 정보도 별로 없기도 하고, 보통 주변에 있을 거라고 생각하지 않는 경우가 많으니까요.

 앞으로는 사람들이 다양성을 좀 받아들여 줬으면 좋겠어요. 저도 그냥 사람이거든요. 웃고, 떠들고, 놀고, 그냥 일상생활하고, 밥도 먹고, 화장실도 가고, 그냥 차별당하거나, 혐오 당하거나, 타자화되는 일 없이 함께 살아가고 싶습니다. 이걸 읽으시는 분은 다르다고, 우리가 아닌 것으로 생각하지 않았으면 좋겠어요. 다르더라도 서로 이해하고 다가가려고 노력하는 게 필요하다고 생각합니다.

6. 연애 관계
 연애 관계를 어떻게 정의하는가에 대해서는 비퀴어들이나 시스젠더 동성애자들 대부분의 경우와 크게 다르지 않은 것 같아요. 결혼까지 생각하는 지극히 정상성적인 관계 그 자체라 이 면에서는 딱히 소수자성 다양성이 없는 것 같네요. 굳이 있다면 한명은 트랜스여성(저)이고 한명은 논바이너리라는 점? 둘 다 에이엄브렐라이지만, 그냥 평범하게 연애하고 사랑합니다. 다를 게 별로 없어요.

지금 연애 빼고 다른 연애 수행은 다 말아먹었지 뭐예요. 제가 거의 그레이 데미로맨틱인걸 모른 채로 로맨틱 사랑이 아닌 호감을 사랑이라고 착각한 채로 22년을 살았네요. 만 24인 인터뷰 시점의 지금은 첫 사랑인 애인과 거의 500일입니다. 이 관계는 너무 소중하고 저에게 없어서는 안 될 그런 관계가 되어버렸어요. 모든 연애에서 거의 성장한 경험이 있지만, 이 관계에서 제가 성장한 게 가장 크다고 느낍니다. 전화 공포증이 있어서 전화를 못했는데, 많이 개선이 되기도 했고요.

P.S. 정체화 하기 전에도 저는 저였고, 이후에도 저는 저예요.

딱히 근본적인 본인이 변화하지는 않아요.

그냥 본인이 무엇인지 알을 깨고 나와 깨달았을 뿐인 거죠.

잿녹의 이야기
' 끊임 없이 변화하는 '

1. 자기소개
 논바이너리고, 만 24살이고, 잿녹입니다.
 잿녹은 잿빛과 녹색을 합친 말인데, 제가 좋아하는 색깔이에요.

2. 성 정체성, 지향성
 사람들한테 말할 때는 논바이너리라고 하면 보통 모르니까 '트랜스젠더 비슷한 거다.' 라고 말할 때도 있고요. 상세하게는 에이젠더라고 성별이 없다고 생각을 하고 있어요. 성에 대한 지향성은 모두에게 끌리는 그런 스펙트럼에 있는데, 로맨틱 지향성은 좀 희미하게 느끼는 그레이 로맨틱이고, 관계 지향성은 폴리아모리를 지향하고 있긴 한데, 지금 현재의 관계는 모노가미 수행 중입니다.

3. 정신질환과 증상
 우선은 제가 진단받은 건 두 개가 있는데, 우울증은 20살 때 진단을 받아서 지금까지 약물 복용 중이고, ADHD는 한 7살 쯤에 진단을 받았어요.

4. 소수적인 정체성이나 지향성이 본인에게 미친 영향
 우울증은 언제부터 시작됐는지, 얼마나 저한테 영향이 있는지, 잘 모르니까 말을 어떻게 해야 할지 잘 모르겠는데, ADHD는 유치원 때 그때 사람들이 저에 대해 얘기하는 것도 그렇고, 제가 생각하기에도 그렇고, 되게 산만하고 문제도 많이 일으키

41

고 그랬거든요. 어릴 때는 에이젠더라고 정체화를 못하니까 스스로 여자라고 생각
했었는데, '산만해서 치마 같은 걸 못 입히겠다.' 이런 말을 듣기도 하고, '여자가 맞
냐?' 라는 말을 들으니까 힘들었어요. 젠더 규범에 맞추어서 행동해야 하는 것이 힘
들었어요. 제가 사실은 젠더 플루이드 같은 정체성이 가진 특징을 어느 정도 가지고
있거든요. 젠더가 유동적으로 변화하는 그 순간 순간마다 이름을 붙이고 싶지 않아
서 에이젠더라고 정체화를 했는데, 불편한 감각이 어릴 때부터 있었던 것 같아요.

5. 인간관계
퀴어 정체화 하기 전에도 지금도 인간관계가 막 넓지는 않았는데, 전에는 오는 사
람 안 막고 가는 사람 안 붙잡았다면, 후에는 인권을 존중하지 않는 것을 넘어서 무
지할 뿐인 사람들의 관계를 끊어냈던 것 같아요. 그게 잘못됐다는 걸 조금 시간이
지나고 깨닫고 나서는 폭넓게 인간관계를 가지려고 노력했는데, 잘 안 돼서 짧게 만
나고 헤어지는 걸 반복했어요. 지금은 제가 있는 인권 단체의 인간관계가 대부분인
것 같아요. 현재는 저를 이해해 주는 사람들도 많고, 퀴어나 논바이너리에 대한 개
념을 잘 모른다고 해도 저를 존중하려는 태도가 느껴지면 계속 같이 지내려고 하는
편인 것 같아요.

제가 가족에게 커밍아웃을 다 한 상태예요. 근데 그 중, 20대 초반에 남동생한테
커밍아웃을 했는데, '나는 논바이너리고, 여자나 남자 둘 중 어디에도 해당되지 않
는다.' 고 했는데, 바로 이해하면서 '그럴 수 있다고 생각한다, 하지만 나는 남자다.'
라고 해준 게 신기했어요. 개념을 보통 이해하기 어려워 하는데 말이죠.

6. 연애 관계
저는 로맨틱한 끌림이 없어서 연애에 대한 메리트를 잘 모르지만, 그래도 사람이
고플 때 만만하게 부를 수 있는 관계가 생긴다는 점이 좋고, 애인이 없을 때는 성관
계 같은 걸 하고 싶을 때 위험한 경우가 있지만 사람을 찾아 나서야 하는데, 안전하
게 관계를 할 수 있는 파트너를 줄 수 있다는 점에서도 좋은 것 같아요. 고정적인

파트너가 생기는 거니까요.

 연애를 하고 있는데. 그 사람이 저와 시각이 달라서 도움이 되었어요. 미성숙하거나 더디더라도 사람은 성장하는 게 맞고. 부정해서는 안 된다는 느낌의 가치관을 가지고 있는 사람이거든요. 저는 스스로를 포기한 면이 없지 않아 있었어요. 신경 써야 하는 것들을 잘 놓치는 사람이었거든요. 애인이 가끔 화내는 게 힘들기도 했지만. 지각하는 것이라던지 많이 나아지긴 해서 지지해준 덕분이 아닐까? 생각이 들어요. 그리고. 애인이랑 가치관이 비슷하고. 신념이 비슷하고. 서로 성장할 수 있는 관계라서 좋아요.

 인간관계가 퀴어 활동가가 대부분이라서 그렇지 않은 사람들도 두루두루 사귀고 싶네요. 애인과의 관계에서는 제가 애인의 털털한 성격을 닮아서 건강해진 면이 있는데. 애인은 저의 어떤 면을 닮아가고 있는 걸까요? 애인이 좀 더 세심해지면 좋겠어요.

하별의 이야기
' 3P(Panromantic, Pansexual, Polyamory) '

1. 자기소개
 잡다한 사람입니다. 해 본 일도 잡다하고, 하는 일도 잡다하고, 앞으로도 잡다하게 많은 것들을 해볼 생각입니다.

 오컬티스트이고, 아웃바운드 콜센터 근무 중이며, 개인사업자로 이것저것 수입도 하고 만들기도 하고, 사진 찍어다 한 번은 엽서도 뽑아보고, 번역도 하고. 그렇게 잡다하게 살고 있습니다.

2. 성 정체성, 지향성
 농담 삼아 3P라고 자칭합니다.
Panromantic, Pansexual, Polyamory.

정체성.
 시스젠더 여성-이라고 소개합니다만, 실제로 별다른 자각은 없습니다.
 굳이 제 자신의 정체성을 나타낼 수 있는 하나의 명칭을 찾아다니기 귀찮아서, "젠더 디스포리아는 없으니 시스젠더겠지." 하고 다닙니다.

지향성.
 제가 제 자신의 젠더에 신경쓰지 않듯, 상대의 젠더에도 큰 관심이 없습니다.

논바이너리를 비롯한 정체성의 다양성에 대해 제대로 떠올리기 전부터 "양성애자" 대신 "범성애자"라는 단어로 스스로를 나타내게 된 원인인데요. 남자도 좋아하고 여자도 좋아하는 게 아니라. 상대가 남자인지 여자인지는 제가 상대방에게 로맨틱한 측면에서든 성애적인 측면에서든 끌림을 결정 짓는 요소가 아닙니다. 제가 좋아하는 건 그냥 그 사람인 거니까요. 상대가 어느 날 갑자기 트랜지션을 시작하거나, 그만둔다고 해서 애정 관계에 변화가 생길 것 같지도 않고요.

비독점적 연애 관계의 지향.
퀴어로서, 스스로를 받아들이는 첫 번째 단계였습니다. 젠더에 크게 관심이 없으니 시스젠더겠거니. 범성애자겠거니. 그게 뭐가 특이해. 그렇게 생각했는데 비독점적 연애 관계는 "사회적 인식"이 유독 강해서 그런지. 유일하게 자각하고 나서 다소 고민이 있었던 부분입니다.

누군가를 좋아하는 마음에는 여러 종류가 있지요. 저는 그런 다양함을 하나의 무언가로 정의하는 것에 이상하게 거부감이 큽니다. "연애하고 싶은 상대"라는 같은 묶음 안에 있는 사람들에게도, 저는 같은 마음을 지니고 있지는 않습니다. 이게 연애를 하고 싶다는 것인가. 좋아하는 마음은 분명한데. 사랑이라고 보통 부르는 것 같던데. 그렇게 헷갈리는 경우가 아직도 있고요.

제가 그런데 어떻게 상대방이 저만 바라보기를 원할까요. 저는 상대가 제게 이야기만 하면 누구를 만나든 상관하지 않습니다. 모든 이야기를 굳이 하기를 바라지도 않고요. 장기간, 몹시 긴 관계에 있는 상대가 있고 그 사람이 우선순위에 있기는 하지만, 그 사람도 제가 누구를 만나든 그 사실만 밝히면 크게 관여하지 않습니다.

3. 정신질환과 증상
제1형 양극성장애와 경계성 성격장애를 진단코드로 받아서. BPD를 2개 달고 다닌다는 게 웃겼습니다. Bipolar Disorder. Borderline Personality Disorder. F31.3.

F60.3. 이런 우연을 좀 좋아합니다.

지금은 ADHD와 우울증이라는 명칭으로 병원에 다니고 있는데, 명칭보다는 증상에 중점을 두고 보고 있습니다. 심리학과에 가는 이유 중에 하나가 왜 내가 이 꼴이 났나 궁금해서 그런다는 설이 있는데 그게 바로 접니다.

정식 진단은 아니지만, 어떤 사건 이후로 일정 시점 이전의 기억이 거의 없어진 상태입니다. 25년이나 살았는데 제대로 기억나는 게 3년 분량 정도라니 억울합니다.

그 전의 기억은 드문드문 떠오르는데 평소 사는 데에 지장은 없습니다. 오히려 잊고 지내는 것 중에 크게 부정적인 사건들이 있어 그 부분은 긍정적인 영향이 아닐까 싶네요.

떠오르는 기억들은 상당히 선명해서 제가 기억에 문제가 있다고 보는 사람은 거의 없습니다. 그것을 기반으로 추론을 하거나, 그런 기억을 떠올린 기억이 있거나, 그런 식으로 만회가 되기도 하고요. 다만 말을 건 누군가를 전혀 알아보지 못할 때, 좀 많이 죄송합니다.

젠더 디스포리아를 느끼지 않는다고 먼저 설명했는데, "젠더"라고 구체적으로 말한 이유는 신체와의 괴리감을 느끼는 환각은 있기 때문입니다. 저는 환촉으로 분류하지만 존재하지 않는 신체 부위의 감각을 설명하면 제 의사는 그렇게 받아들이지 않더군요. 예를 들자면 맨손인데, 두꺼운 장갑을 낀 정도로 피부에서 떨어진 곳에서 인지되는 감각이 있습니다.

PTSD. 가장 와닿을 만한 사건으로는 연인 관계에 있었던 사람 중 한 명이 자살로 떠나갔습니다.

기억하지 못하는 기간 동안에도 달고 살았던 자해는 끊었습니다. 한 번 실패한 이후에는 정말 죽으려고 한 적은 없고요.

4. 본인에게 미치는 영향

저는 제가 기억하는 세월 대부분을 이미 정체성과 지향성을 자각한 상태에서, 정신질환도 함께 지닌 상태에서 보냈습니다. 그래서 그런 것이 없는 삶을 상상하기 어렵다고 할까요.

다만 사람과의 접촉에서 어려움이 많습니다. 한동안은 텍스트가 아니면 타인과 교류를 안 했고, 지금도 진지한 대화는 전화나 심지어 얼굴 보는 대화보다도 텍스트를 선호합니다. 집중이 안 되고 잠이 오고, 제 생각들은 편린에 기반해 있으니 정리해서 근거를 대며 이야기를 하기에는 글이 편합니다.

콜센터 업무 하는 게 저도 신기합니다. 열흘 정도 되었는데, 원래는 통화라는 개념 자체에 겁을 먹어서 무조건 핸드폰 내려놓던 제가 업무 전화는 하루에 200통도 걸더라고요. 하지만 여전히 주변인과 통화하는 건 무섭습니다.

그런 상태에서 사람들을 만나다보니 사건 사고를 겪었어야 하는 것보다 더 많이 겪지 않았나 생각하기도 합니다. 주변에 모이는 사람들이 아무래도 비슷한 특징의, 또는 비슷한 정도로 희소한 특징을 가진 사람들이니까요. 정신과 선생님들 중 한 분께서 그러시기를 본인이 만나는 환자들 중 제가 겪은 것들을 비슷한 수준으로 가진 사람들은 열에 하나쯤 된다고.

5. 연애 관계의 정의와 현재의 연애

폴리아모리로서, 뭔가 신기한 대답을 내놓아야 할 것 같은 기분인데요. 연애에 있어서 특이 케이스인 것은 사실이니까요. 오히려 그래서 그만큼 기본에 충실하게 정의합니다.

상호 동의 하에 연애라는 이름을 붙이면 그게 연애 관계입니다. 다른 사람이 봐서 연애하는 것 같아도 당사자들이 그렇게 여기지 않는다면 연애 관계가 아니고, 당사자들이 부정한다면 어떤 행위가 일어나도 연애 관계로 보지 않습니다. 어떤 행위가 없더라도 연애 관계로 볼 수 있듯이.

질투와 시샘이 없다는 것은 아닙니다. 다른 사람과, 나와는 하지 않는 무언가를 공유한다는 것이 서운하거나 때로는 불편하게 여겨지기도 하니까요. 다만 그것을 가지고 "그 사람과 연애를 한다." 는 가정 하에 행동하게 되지는 않는다는 겁니다.

상대에게 그 사람과의 관계가 나에게 불편감을 유발한다고 말하거나, 더 이상 관계를 유지하지 말아달라고 요구하는 지경까지 가더라도 "바람을 피운다."라고 비난하지는 않을 겁니다.

제 자신이 맺는 관계가 타인의 눈에 어떻게 비춰질지도 알 수 없는데, 제 눈에 비친 다른 사람의 관계가 정확하다는 전제 하에 행동할 수는 없지요.

연인에 대하여. 제가 3년 정도를 제대로 기억한다고 하는데, 만난 지 7년을 넘어 8년차로 향하고 있는 상대인 만큼 크게 의존하고 있는 상대입니다. 자살 시도에 실패했던 날 응급실로 끌고 갔던 것도, 시각적 문제로 혼자 계단을 오르내리지 못했을 때 매일 학교에 출석하도록 도와줬던 것도 모두 이 사람이고요.

기억이 불완전하다는 것은 이용당하기 쉽다는 것이라고 생각해서 불안한 마음을 평소에 가지고 있지만, 이용을 당하고 있더라도 상관 없다고 생각하는 상대입니다. 그만큼 받은 것이 많고, 제게 **빼앗긴** 것도 많은 사람일 것이니까 내주는 것이 있어도 당연한 게 아닐까요.

6. 인간관계

 지지하는 다른 인간관계는 잘 모르겠습니다. 기억에서 지워졌거나, 끝이 좋지 않았거나, 지지를 하기는 했던 것인가. 깊게 파내지 않는 이상 찾기 어려울 것 같습니다. 긍정적인 것에 대한 제 정의가 협소한 탓인가 싶기도 합니다. 조금이라도 좋지 않은 일로 맺어진 순간 "좋은 관계"로 남기 위해서는 엄청나게 많은 좋은 일이 있어야 하는데. 그만큼 유대를 쌓은 상대부터가 드뭅니다.

 퀴어 정체화 전후에 달라진 점은 없습니다.
 너무 긴 시간을. 유추하자면 삶의 1/3은 이미 정체화를 마친 이후에 살아와서 비교할 대상이 없습니다. 부모와의 관계 정도가 고작일까요. 제 동반자의 부모가 제 부모에게 저희 관계를 아웃팅한 이후 그 부분에 대해서는 관계가 좋았던 적이 없습니다. 언급하는 것도 싫어할 정도로. 아웃팅으로 시작되어서 그런건지, 제가 이상한 건지. 그 이후로는 가는 곳마다 커밍아웃을 자연스럽게(?) 했기 때문에 만났을 때부터 제 정체성을 아는 사람이 대부분이어서 인간관계가 달라졌다고 느낀 부분도 별로 없고요. 협소해졌다고 말하기에도 원래 그다지 발이 넓은 사람이 아니었습니다.

7. 이해 받는다는 것

 반대의 경우를 찾는 게 더 쉬울 것 같습니다.
 직전의 직장을 그만둔 이유가 정신질환 혐오 때문이었습니다. 선배가 "정신병자에게 칼 맞기 싫다." 고 농담한 것을 들은 이후로 도저히 함께 있을 수가 없어서요.

 그만큼 평소에 "이해 받아서" 그런가 싶기도 합니다. 애초에 "이해를 할 수 있는" 사람들 사이에서만 살아왔고. 어긋난 관계는 단절로 이어졌기 때문에요. 깊게 엮이지 않을 상대에게서는 굳이 이해를 구하지도, 구하고 싶지도 않았습니다. 상처를 가리기는 커녕 낫지 않은 상태에서도 반팔 입고 돌아다녔을 정도면 설명이 될까요. 이해해달라가 아닌, 알아서 납득해라. 나는 이런 인간이고, 이런 나를 견딜 수 없다면 옆에 있지 말아라.

 기대한 적이 없다고 하면 당연히 거짓말일 겁니다. 다만 가능성이 있다고 희망을 건 기대가 많이 없었고, 애초에 누군가가 저를 정말로 이해할 수 있을 것이라고 생각하지 않습니다. 그렇게 믿지 않습니다.

 그래주면 얼마나 좋을까요. 이해 받는다고 느낄 수 있다면 얼마나 좋을까요. 이해 받는다고 여겼는데, 처참히 부서진 적이 너무나도 많아서.

 나의 행복을 위했던 그 모든 것은 이해가 아닌 오해에서 비롯된 친절이었다고. 그 호의는 정말로 나를 향한 적은 없었다고. 작은 희망을 말하는 인용구를 담은 이야기는 비극이어서 그 짧은 문장에 의미가 있는가 싶습니다.

8. 폴리아모리에 대한 시선이 달라지기를
 흔히 소수자 집단이 "자기만의 리그"처럼, 끼리끼리 뭉쳐서 배타적이라는 말을 많이 듣지요.

 폴리아모리는 더더욱 그럴 수밖에 없습니다.
 말할 것도 없이, 교육부터가 "일부다처"를 독점적 연애의 반대급부가 되는 말로 씁니다. 가부장적인 사회의, 현대 사회에서는 일반적이지 않은 모습으로 말입니다. 오해가 생길 수밖에 없는 부분입니다.
 한 사람을 중심으로 여러 사람이 모이는 것이 아닙니다.
 적어도 제가 아는 폴리아모리는, 제가 느끼는 한, 나누는 것에 가깝습니다.

 나눈다고 설명하자니 누군가가 일생에 가질 수 있는 애정의 총량을 정하는 듯한 말들이 걸림돌입니다. 물론 시간의 양, 금전의 양. 이런 것은 한정될 수밖에 없습니다. 만나는 사람이 여럿이면 이런 한정된 자원은 분배될 수밖에 없고요.

하지만, 애정도 그런 것처럼 취급해서, 한 사람에게 갈 수 있는 사랑을 여러 명에게 나눈다는 식의 표현을 적용하는 것은 문제입니다. 왜냐하면 이 논리가 폴리아모리의 관계를 가벼운, 진지하지 않은, 심지어는 문란한 것으로 만드는 일등 공신이기 때문입니다.

다른 일로 인해 사랑하는 사람에게 온전히 시간을 쏟을 수 없는 것을 개인의 열정으로 미화할 수 있는 사회이기에 더 웃긴 상황입니다. "온전한 사랑"이 그렇게 중요하다면 말입니다. 다른 사랑에게 밀린 사랑과 일상적인 일에 밀린 사랑 중 무엇이 더 가볍습니까? 이상한 비유입니까? 그렇다면 애초에 사랑을 무게를 달아 나눠주는 것 취급하지 않는다면 생기지 않을 문제를, 굳이 만드는 이유는 무엇입니까?

폴리아모리들이 "서로 바꿔가며" 연애하기 때문에 문란하고 자기들만의 리그가 강하다고 여기시는 분들이 많은 것 같습니다.

저는 폴리아모리입니다. 그렇다고 연애 횟수가 많지도 않습니다. 외려 홀로 삭힌 짝사랑이, 상대에게 가진 "사랑"이 정확히 어떤 형태인지 알 수도 없이 꺼뜨려야 했던 감정이 수없이 많습니다. 운이 좋아 양 측이 서로를 정확하게 향하더라도 한 쪽이 모노아모리라면 관계는 맺어질 수 없고 그러면 서로 더 힘들어지기만 하니까. 그게 아니라면, 사회적으로 매장될 각오까지 해야 하는 것이 폴리아모리의 고백입니다.

폴리아모리가 자기들끼리 만나는 이유는 단순합니다. 상대도 폴리아모리임을 알기 때문입니다. 서로 마주칠 기회가 많은 것 이상으로, 좋아한다는 말이 경멸로 돌아오지 않음을 알 수 있는 상대들이기 때문입니다.

그렇기 때문에 서로 어울리는 것을, 흔한 "연애 관계"와 그에 "일반적으로" 따라붙는 행위들과 엮어 과대망상하지 않았으면 좋겠습니다.\

연애하는 사이에 성행위를 무조건 하는 것이 아니라는 것 정도는 상식 아닙니까.
세 사람이 폴리아모리 관계로 각각 사귄다고 그 셋이 꼭 같이 데이트를 하는 것도
아니고요.

인정해달라는 게 아닙니다.
이건 많이들 하시는 말일텐데요.
당신들이 뭔데 우리의 관계를 인정하고 말고 합니까.

볼 거면 제대로 보라는 겁니다.

유의 이야기
' 언제나 퀴어였어서 '

1. 자기소개
 25살, 충북에서 대학교를 다니고 있는 유라고 합니다.

2. 성 정체성, 지향성
 논바이너리 중에서도 뉴트로이스고, 젠더 디스포리아를 심하게 겪고 있는 편이며, 에이젠더와 차이점은 완벽한 성별보다는 제3의 성 중에서도 중성에 가깝다는 느낌이에요. 에이섹슈얼에 데미로맨틱이고 관계 지향성 자체는 살짝 희박한 편이에요. 관계 독점 자체에 대한 생각이 없습니다.

3. 정신질환과 증상
 우울증은 무기력증에 가깝고, 강박 장애 중에 머리 뜯는 장애가 있고, 완벽주의가 있어요. 뇌전증은 학교에서 발작 증세를 일으키고 약을 먹고 있어요.

4. 소수적인 정체성 및 지향성이 본인에게 미친 영향
 어렸을 때부터, 논바이너리에 대해서 알기 전부터 저를, '나는 일단, 여성은 아니다. 근데 남성도 아니다.' 라는 확실한 인지가 있었는데, 여성으로 인식이 되니까 머리를 짧게 하고 다니고, 그것 때문에 교우 관계가 안 좋았어요. 교복 바지도 입었거든요. 여자 화장실에 그렇게 가니까 시선도 안 좋았고요. 그래서 외부에서 화장실 가는 거를 선호하지 않게 되었어요. 남녀 합반으로 지내다가 중학교에 여중, 남중

따로 있어서 지정성별 때문에 여중으로 갔는데, 그때 '나는 여자가 아니다.' 라고 느꼈어요.

5. 인간관계
동생이 제 성 정체성을 상당히 존중해 주고, 언니 등의 호칭을 안 부르고, 닉네임으로 부르고, 실명으로도 잘 안 불러요. 제가 요청을 해서 그렇게 해주는 거예요. 동생에게 '내가 뭐라도 괜찮겠구나.' 라는 이해 받는 느낌이 있었어요. 아버지한테는 성 지향성에 대해서만 말했는데, 결혼을 하지 않고, 혼자 살 수 있는 방법을 같이 생각해보면 좋겠다고 하셨어요. 퀴어 정체화 하고 나서는 같은 퀴어들과 친해지는 경우가 많았어요.

대학교에서 우울증이 한창 심화되었을 때, 휴학하고 상담 받고 그랬는데, 가족에게 정신질환은 많이 이해 받았고, 어머니께서는 성 정체성, 지향성에 대해서는 보수적인 입장이지만, 정신질환 쪽에서는 상당히 열린 입장이셔서 '약을 먹는 거나, 그런게 부끄러운 게 아니고, 네가 나아질 수 있으면 그걸로 좋다. 네가 아프지 않았으면 좋겠다.' 고 말씀을 해주셨어요. 어머니가 옛날 사람이셔서 '밥을 잘 먹고 자연을 많이 보면 나을 거다' 이런 부분도 있었지만, 걱정을 해서 나오는 말이라서 이해가 되었어요.

6. 연애 관계
정상성에 대해서, '내가, 한 번도 안 해봐서 그런 건 아닐까?' 하고, 한 번 시도를 해본 적은 있습니다. 관계는 상호간의 이해를 중심으로 합의를 봐서 애정을 표현하고 교류하는 것이라고 생각해요. 제가 연애했을 때 사람은 좋았어요. '제가 성적인 끌림을 걔한테 느꼈으면 좋은 관계로 나아갈 수 있었을까?' 라는 생각은 하는데, 상호 독점이라는 것에 대해 긍정적인 입장도 아니어서 아쉬운 부분이 있었어요. '서로 시간을 너무 많이 투자하는 것 아닌가?' 이런 생각이 들기도 했죠. 이때 확실히 '연정 끌림을 느껴도 성적 끌림을 못 느끼는 사람인가보다.' 라고 생각하게 되었답니다. 연애 말고 중학교 때 아끼고 친한 친구가 있었는데, 공부 쪽으로 의지를 많이 하고, 저도 그 친구를 많이 도와주면서 즐거움을 느끼기도 했어요. 그 친구에게 로맨스적 끌림을 느끼는 경향성이 있다는 걸 깨닫기도 했어요.

연애는, 상호간의 신뢰만 있으면 된다고 생각해요. 서로를 어떠한 감정으로든 좋아하고, 그것으로 충분하다고 생각해요. 시간을 써서 증명하지 않더라도요. 인간관계는 신뢰까지도 필요 없고 서로 즐겁고 해가 되지 않으면 된다고 생각해요.

꾸살의 이야기
'꾸역꾸역 살면서 곱게 미쳐 봅시다.'

1. 자기소개
젠녀. 그런 걸로 소개하고 다닙니다. '꾸역꾸역 살기'를 줄여서 꾸살이라고 합니다.

2. 성 정체성, 지향성
성별은 여성이라는 감각이랑 비성별이라는 감각이 공존하는 데미걸이면서, 그 두 감각의 강도가 좀 엎치락뒤치락 하는 게 있어서 걸플럭스로 정체화를 했어요. 풀어서 라벨링을 설명하면, 트랜스우먼엄브렐라 논바이너리인 데미걸 플럭스 정도로 소개를 하고 있어요. 성별, 젠더에 불응하는 감각을 느껴요. 로맨틱 지향성은 이제 로맨틱 끌림에 대한 감각이 좀 많이 전무하다 해서 에이로맨틱으로 라벨링을 붙이고 있고요. 성적 지향성은 성적 끌림의 빈도가 엄청 강해서 하이퍼 섹슈얼이라고 인지를 했는데, 남성한테 강하게 끌려서 남성애자 하이퍼 섹슈얼로 정체화했어요. 기본적으로 비연애를 지향하기 때문에 논아모리라고 할 수는 있겠지만 이제 한편으로는 그 비독점적인 관계 역시 지향하는 느낌이에요. 연애 자체는 지향하지 않는데, 하게 된다면 비독점적으로 할 것 같은 느낌?

3. 정신질환과 증상
경계선 인격장애 진단을 받아서 BPD 라고 얘기를 하고 있고요. 관계에 있어서 불확신이랑 불안함에 대한 감각에 대해서 과잉 의식이 심한 것 같아요. 상대방이 별 생각이 없다 하더라도, 괜히 혼자 불안해서 제 불안함을 투사한다고 해야 할까요?

그리고 웬만한 정병들은 기본적으로 깔고 가서 우울증과 조증 그리고 어쩌고저쩌고 정도가 있을 것 같네요.

4. 소수적인 정체성 및 지향성이 본인에게 미친 영향

사회적인 약자나 소수자의 인권에 대해서 유하게 접근할 수 있게 된 것에 되었으나, 병증 때문에 관계가 틀어지기도 했죠. 병증에 대해 충분히 설명을 했음에도 이해를 못하고 대충 받아들인 사람이 있었고, 병증이 심해져서 저를 도와주던 친구들에게도 매달려서 사이가 멀어지기도 했어요.

5. 인간관계

정병 퀴어(정신병이 있는 퀴어의 줄임말) 친구들 만나기 쉬운 게 트위터니까, 거기서 사람들을 만나고, 온라인이든 오프라인이든 만나서 얘기하고, 서로 경험 공유하고, 위로받고 공감받고, 그런 것에서 안정감을 많이 느꼈죠.

초등학생 때부터 젠더에 대한 이질감에 대한 자각은 있었는데, 정체화에 대한 고찰과 라벨링을 붙이는 과정은 고등학생까지 넘어와서 했어요. 비슷하게 고민하는 친구들이랑 얘기도 나누고 우린 이게 적절한 것 같다고 얘기하기도 하고요.

퀴어 정체화 전후에 혼자 붕 떠 있는 느낌에서 다른 사람들에게 소속감을 느끼기도 했어요. 그리고 비슷한 사람을 만날 때 가장 이해 받는다고 느낌을 많이 받죠.

심하게 망가진 상태였을 때, BPD 병증이 과하게 발현됐을 때의 경험을 토대로 같은 BPD 친구들, 그리고 아닌 친구들도 같이 얘기 들어주면서 이 새끼가 잘못한 거 맞다라면서 공감해주는 것도 좋았어요. 정신질환에 대한 이해가 없더라도 관계에서의 맥락과 서사를 보고 상대를 욕해주는 부분에서 이해를 받는다고 느꼈어요.

6. 연애 관계

 연애를 지양하니까 성생활 같은 부분에서 사람 구하기가 매번 귀찮아서 정착할 사람을 한 둘 만들어도 괜찮겠다라는 생각을 했어요. 연애 비스무리한 걸 하기도 했는데요. 2년 반 전에 데미로맨틱 지향을 가지고 있는 친구를 만났는데, 그 친구가 많이 힘들어 했어요. 근데 주키니(에이엄브렐라의 관계 중 하나) 수행인지 연애 수행인지 되게 못해서 '잘 안 맞는 듯?' 싶더라고요. 그래도 그 친구랑 서로 닮은 점이 많아서 의지가 많이 되긴 했어요. 앞으로 만나게 될 사람은 슈가 대디를 바라요. 나를 먹여 살려주고 잠도 같이 자줄 사람, 저를 자유분방하게 풀어줄 수 있는 사람을 바라요.

 학창시절에 연애를 지양하는데 저를 좋아한다고 하는 친구랑 이어주려고 하는 사람들이 있어서 싫기는 했어요. 정상성 경험에 대한 폭력이 있었던 것 같아요.

플루토의 이야기
'온전한 나의 기질, 그리고 삶'

1. 자기소개

 저는 신경다양인(ND), 그리고 퀴어로 대한민국에서 살아가고 있는 20대, 플루토
입니다. 현재 대학에서 물리학을 전공하고 있으며 제 퀴어니스, 정신질환을 정확히
인식하게 된 것은 이제 5년 정도 되었습니다.

2. 본인의 성 정체성, 지향성

 에이젠더 에이로맨틱 에이섹슈얼 폴리아모리로 정체화하고 있으나, 사실 이것으로
명확히 명명지어서 분류되는 것을 그렇게 좋아하지 않습니다. 예시로 폴리아모리와
모노아모리 딱 두 가지로 사람이 정확히 나뉜다고 생각하지 않아요. 극단적으로 정
말 명명이 필요한 사람도 있겠지만, 애매모호하게 어딘가에 걸친 사람들도 분명 있
을 겁니다. 그렇다고 해서 그런 사람들을 위해 새로운 언어를 만들자고 하는 이야기
는 아닙니다.

3. 정신질환과 증상

 ADHD입니다. 아주 어릴적부터 앓아왔지만 인지하고 실질적으로 치료를 시작한
건 4년 정도 되었습니다. 그 외에 우울, 양극성 정동장애, 강박, 불안장애를 앓고
있습니다. 사실 그 뒤에 있는 것은 ADHD가 있으면 기본적으로 따라오는 옵션 같은
거예요. 풀옵션 원룸이죠. ADHD의 증상은 흔히들 약한 집중력에 중점을 두곤 합니
다. 그러나 집중력이 약화되는 요인은 실제로 여러가지가 있을 수 있어요. 우울증

이나 양극성 정동장애를 앓고 있다면 흔히들 이야기하는 brain foggy 증상(멍한 상태)으로도 집중력이 약화될 수 있습니다.그래서 집중력 검사 뿐만 아니라 다양한 검사를 거쳐서 진단을 받게 됩니다. 주된 증상은 모든 충동을 자제하지 못하고, 물건을 쉽게 잃어버리고, 쉽게 까먹습니다. 자극에 대한 역치가 엄청나게 높게 설정되어 있는 느낌이에요. 가령 속삭이는 소리가 들릴 때, 소리가 너무 작으면, '들린다'라고 인식을 하지 않는 것처럼요. 어지간한 자극으로 흥미를 잘 느끼지 못해요. 그래서 그거를 반드시 해야겠다라는 동기부여가 잘 안 되는 거죠. 인풋 대비 아웃풋이 즉각적으로 나오지 않거나 크지 않으면 금방 흥미를 잃어버립니다. 규제를 싫어하면서 규제가 없으면 금방 삶이 망가져요. 일상생활을 유지할 수 있도록 해주는 외부적인 장치(nine to six 같은 생활 등)가 있어야지 제가 저를 파괴하지 않을 수 있어요.

4. 소수적인 정체성 및 지향성이 본인에게 미친 영향

솔직히 소수 정체성이라고 따로 떼어내는 게 이상하다는 느낌이에요. 이건 그냥 나의 기질인 거고, 내가 갖고 살아왔던 겁니다. 이걸 따로 똑 떼어서 이 정체성에 내가 영향을 받았다 라고 표현하긴 어려운 거 같아요. 처음 알게 되었을땐 내가 남들과 다르다는 것에 많이 힘들어했는데, 그렇다고 해서 이것들이 사라지는 건 아니니까요. 정신질환에 대해선 그렇게 생각하고 있습니다. 퀴어 정체성에 대해서는 뭐랄까, 선택하지 않아도 된다는 선택지가 하나 늘어난 기분이에요.

5. 인간관계

인간관계와 관련하여 긍정적인 경험은 하나 있네요. 자살충동이 심하게 느껴져서 대학병원 응급실을 갔더니 누가 데리러 올 사람이 없냐고 하는 거예요. 그래서 '애인이 있는데, 애인은 멀리 있다, 그니까 잠 잘 수 있는 안정제만 놔달라.' 고 했거든요. 그랬더니 "애인이라면…. 여자친구예요?"라고 한 게 좀 기억에 남긴 하네요. 그때 사귄 사람이 여자친구가 아니긴 했지만, 퀴어로 생각해서 말해주는 게 좋았어요. 그거 말곤 딱히 생각나는 게 없네요.

퀴어 정체화 전후 인간관계에 대해서는 크게 달라졌다고 느낀 부분은 없어요. 제가 신경다양인 중에서도 사회성이 정말 없는 케이스라서요. 실제로 TCI 심리 검사에서도 커뮤니케이션 능력이 하위 1퍼센트로 나오기도 했거든요. 인간관계가 굉장히 좁았고, 그렇기에 변한 것을 못 느꼈어요. 물론, 관계에 소속돼서 같이 놀았던 적도 있지만, 어느 순간 이질감을 느낀다고 해야 하나? 제 과잉 행동, 도가 지나친 행동으로 인해서 사람한테 민폐를 끼치거나 해서 관계가 단절되기도 했고요. 사실, 뭔가 엄청나게 좋았다, 지지받았다, 뭐 이런 기억은 잘 없네요.

6. 연애 관계

 연애 관계는 역할놀이 같아요. 사실 '연애한다.' 라고 시작하는 순간부터…. 서로 다른 모습을 보여야 하고 사랑한다고 속삭이고 이 모든 것들이 연극 같아요. 특히 친구에서 연인이 되는 건, 가면을 새로 바꿔쓰는 거 같아요. 간질간질한 기분 좋음은 있지만, 그것만 갖기 위해 연애를 하기엔 손해가 큰 관계 중 하나인 거 같아요.

 연애는 다시 강조하지만 역할놀이 같아요. 하더라도 3개월 이상의 자극을 주지 않는 것 같아요. 마치 미연시 게임을 했을 때 모든 CG를 모으면 이제 그 게임은 다시 플레이 할 필요가 없는 거죠.

에븐의 이야기
' 점차 나아질 한국 사회를 바라. '

1. 자기소개

만 27세, 에븐이라고 합니다.

2. 성 정체성, 지향성

법적 성별은 여성이지만, 논바이너리 트랜스 매스큘린으로 정체화했어요. 트랜스
남성까지는 아닌데, 거의 비슷한 느낌으로 정체화하고 있고요. 성적 지향성은 양성
애자 또는 범성애자로 정체화하고 있어요. 비독점적 다자연애를 선호하게 된 이유
는 영국에서 대학교를 다닐 때, 폴리아모리의 개념을 알게 되었고, 인터넷 팬덤으로
사귄 친구 중 하나가 미국인이었는데, 폴리아모리 연애를 하고 있다고 그랬어요. 저
는 자존심이 낮아서 두 명 이상이 나한테 관심 가질 일이 없다는 생각을 했는데, 미
국인 친구가 영국으로 교환학생 비슷한 걸 와서 같이 시간 보내면서 호감이 생겨서
그렇게 다자연애를 하게 되었어요. 지금은 롱 디스턴스(장거리)도 영향이 있어서 친
구로 지내지만, 오래 그런 연애를 해서 그런지 제 자신을 구속하는 것을 싫어하게
되었어요.

3. 정신질환과 증상

우울증이랑 공황장애가 언제부터 있었는지는 모르겠는데, 대학생 때 학업 스트레
스나 걱정도 심했어요. 병원을 갈 생각을 못 하다가 같은 대학교 대학원을 다닐 때도
학업 스트레스랑 불안함이 심해서 다른 친구가 병원 가는 게 좋을 것 같다고 해서

가서 약물 처방을 받게 되었어요. '조금이라도 스트레스 생기는 일 있을 때마다 불안하고, 심장이 터질 것처럼 불안하고, 그렇게 된다면 내가 사는 것에 의미가 있을까? 그러면 앞으로 60-70년 동안 살아야 되는데, 계속 불안한 상태로 살아야 되는 거 아닌가? 너무 힘들다.' 라고 그랬었는데, 이 친구가 그걸 듣고 '지금 꼭 병원 가봐야 될 것 같다. 조금이라도 불안한 일이 생길 때마다 이 정도로 괴로워 한다는 게 정상이 아니다.' 라고 해줘서 가게 되었어요.

4. 소수적인 정체성 및 지향성이 본인에게 미친 영향

 영어를 어렸을 때부터 공부하고 할 수 있어서 영어로 퀴어 커뮤니티에 대한 정보를 많이 접할 수 있었어요. 그래서 본인을 혐오한다거나 하지 않았죠. 그래도 부모님이랑 갈등이 있었어요. 제가 여자고, 레즈비언인가? 바이섹슈얼인가? 이렇게 혼란스러운 시기가 있었는데, 어쨌든 나는 퀴어다라고 알고 있었죠. 근데 부모님은 이게 죄라고 생각하시고, 제가 퀴어라고 생각 못하시고 너도 그렇게 될 수 있다고 화를 내셨어요. 그리고 '내가 성소수자, 논바이너리, 남자 쪽이라는 걸 들키면 나에 대한 지원이 끊기지 않을까?' 하며 두려움도 있었죠. 어렸을 때 나는 '남성도 여성도 아닌 중성이다. 나는 외계인이다.' 이렇게 말하고 다녔는데, 그게 디스포리아, 괴리감을 느꼈던 게 아닐까 싶기도 해요.

 한국에서는 법적인 보호를 못 받는 게 슬프죠. 차별금지법이 없으니까. 해외 가려면 까다롭고, 능력을 증명해야 하고, 그래도 해외에는 퀴어 커뮤니티에서 나를 잘 드러낼 수 있어서 좋았어요. 영국은 호르몬 치료를 받기 어려운데, 한국은 비교적 모르다 보니까 오히려 역설적으로 쉽기도 하고요. 그리고 영어권에 있으면은 he, she 같은 용어를 일일이 정정하는 게 피곤해요. 근데, 한국에서는 여성 취급 받는다던지, 여직원이라고 말 듣는 게 기분이 이상하고요. '나는 she가 아니고 약간 he나 they도 불러주세요.' 라고 이거를 항상 고쳐야 되는데, 한국에는 또 다른 면으로 트랜스 혐오를 겪을 수 있고, 혐오가 아니더라도 무지한 것들을 많이 듣게 되니까, 그래서 어디에 있든 불행한 거예요.

제가 원래부터 약간 자존심이 낮았는데, 그 간접적인 요소 중의 하나가 퀴어 트랜스젠더에 정체성이 있으니까 그거를 밝히는 거에 대한 스트레스 아니면 내가 좀 그 밝히지 않은 상태로 있으면서 혐오적인 표현에 대한 스트레스가 있었던 것 같아요. 영국에서는 물론 사람들이 저를 보고 딱 스캔하고 약간 she인 거 같다 이렇게 막 그래서 she, lady, miss 이런 말을 되게 많이 듣지만. 그래서 내가 '아니다. 난 트랜스젠더' 라고 말을 하면 그래도 '그렇구나. 죄송해요.' 라는 답변을 들을 수 있는 가능성이 더 커요. 근데, 한국에서는 그게 뭔데? 약간 이렇게 되니까... 트랜스젠더도 트랜스젠더인데, 논바이너리인 것까지 말하면 약간 사람들의 뇌가 터질 것 같은 거예요.

저는 어떻게 일상적인 스트레스들을 생각하고 있냐면, 옛날에 유행했던 숟가락 살인마라는 동영상이 있는데, 어떤 사람이 아무 이유 없이 갑자기 따라다니는 스토커가 있는데, 그 스토커가 숟가락을 들고 5분에 한 번씩 때리는 거예요? 쫓아다니면서 따라다니면서 5분에 한 번씩 숟가락으로 때리는 거예요. 숟가락으로 맞으면 안 아프잖아요? 그런데, 계속 맞으니까 스트레스가 생기는 거예요. 열불이 나는 거예요. 신체적인 아픔이 아니지만, 그래서 이게 한번 숟가락으로 툭 맞으면? 뭔데 이럴 수 있는데? 몇 분에 한 번씩 계속 맞으면 이렇게 엄청난 스트레스가 생기는 거예요. 이제 그런 내용이에요. 퀴어 트랜스젠더의 혐오랑 차별이 이런 거 같다는 생각이 들었어요. 한 번 실수를 하던가 누가 여성이라고 지칭했다던지, 미안하다고 하고 가는데 또 다른 사람이 와서 뭐라 하고, 그런 조그마한 일상적인 차별이 쌓여서 큰 스트레스가 되어요. 그래서 이 사람은 그 영상에서 스트레스를 받다가 막 폭력성이 생기기도 하고, '그만 좀 따라와.' 라고 하거든요. 그러니까 일상적인 짜증이 되게 많이 쌓이기도 하고요.

5. 인간관계 및 커뮤니티

저는 중고등학교 때는 거의 아무한테도 못 말했어요. 이제 저는 퀴어로 먼저 정체화하고 나서 나중에 대학교 때 트랜스젠더로 정체화를 했었는데. 이제 중고등학교 때에 저는 사실 인터넷 커뮤니티를 되게 많이 했었어요. 한국인 인터넷 커뮤니티 찾아봤는데 항상 너무 우울한 거예요. 이 한국인 퀴어 커뮤니티가 누구한테도 커밍아웃 하면 안 되고, 하지 말라 그러고, 어떻게 하면 잘 숨어 살 수 있을지에 대한 부분. 그게 제 느낌이었어요. 너무 우울했어요. 그때만 해도 이제 2010년대 초반이니까. 그게 우울해가지고 영어 커뮤니티 쪽을 많이 봤죠. 마블 영화, 미드, 영국 드라마 팬덤 등을 보니까 BL 같은 것들. 거기서는 slash shipping(남자-남자)이라고 하는데. 좋아하는 사람들 중에서 퀴어나 트랜스젠더가 많아서 친해지고 소통하면서 위안을 받았죠. 그리고 해외의 팬덤이나 해외에서 쓰여진 팬픽은 현실적인 퀴어 콘텐츠가 많은데, 한국은 현실적이기보다 환상성이 있는 로맨스를 많이 보여주는 것 같아요.

6. 연애 관계

비독점적 다자연애를 선호하는데. 한국에서는 훨씬 비가시화돼서 연애를 할 때 독점적인 연애를 하게 되는 건 '그럴 수 있겠다.' 이렇게 됐지만, 서로가 가능하다면 잘 받아주는 사람이랑 연애하고 싶어요. '다른 사람에게도 호감을 가질 수 있다.' 는 이야기를 공유하는 사람이랑 교제하는 게 훨씬 나아요. 남자랑 여자 중에서 선택할 수 없고, '다 만나보고 싶다.' 이런 것도 있고요. 해외에서 이런 경우가 꽤 있어요.

제가 경험했던 것들 중 처음에 만났던 미국인 친구가 되게 좋은 친구였고, 여자로 정체화했지만 아닌 것 같고 남자에 비슷한 것 같다고 말했을 때도 오히려 좋아, 나는 괜찮아, 그래도 너가 좋아 이렇게 말해줘서 좋았어요. 한국이 폐쇄적이라 여러 관계들에 대한 이야기를 한국에 있는 퀴어에게 하면 그들이 이상하게 생각할 것 같다는 생각도 했어요.

앞으로의 관계에서 바라는 점은. 현재 아무도 안 만나고 있어서 외로워서 누군가 생겼으면 좋겠어요. 자조적인 표현인데. 제대로 된 여자도 남자도 아니라서 아무도 좋아할 것 같지 않은 생각이 있어요. 몇 달 전에는 이제 제가 같이 공연 일을 하다가 친해진 남자인 분이 있는데. 제가 그분을 약간 조금 좋아했었어요. 그분은 이제 직접적으로 말을 하지는 않지만 약간 게이 쪽인 것 같았어요. 섣불리 고백을 못하겠는 거예요. 왜냐하면 나를 이 사람이 남자 쪽으로 받아들이고 볼까? 이 사람이 남자 쪽을 좋아하는 것 같은데 내가 거기에도 해당이 되나? 해당이 안 된다면? 이런 거에 대해서 많은 자기혐오가 생겼어요. 그래서 내 자신을 내 자신으로 받아들이고 좋아할 사람을 만나면 좋을 것 같은데 이게 또 쉽지 않아요. 그렇다고 숨기면서 연애하고 싶지 않고요. 당당하게 나 자신을 드러내고, 제 이런 부분을 다 받아들여줄 수 있는 사람을 만났으면 좋겠어요.

첼의 이야기
' 적응 '

나를 사회에 적응시키는 것도 있고, 남들과 다른 나에 대해 적응하는 것도 있고,

여러모로 적응이라는 게 사실은 쉬운 일이 아닌데도 중요하다고 생각해요.

본인과도 사회와도 화해를 하면서 적응을 해 나가는 거죠.

우울증에 대해서 적응을 한 것도 그렇고, 퀴어 정체성에 대해서 적응을 한 것도 그렇고,

지금까지 적응을 되게 잘 해왔고, 그 부분이 제일 자랑스러운 것 같아요.

1. 자기소개
 20대 후반에 지방에서 상경해서 서울에서 한 10년째 살고 있는 오타쿠, 첼입니다. 친구들이 '위장시혜녀'라고 부르기도 하고, 어딜 가나 저를 그렇게 보는데 사실은 아니에요.

2. 성 정체성, 지향성
 시스젠더 여자 여성, 에이로맨틱, 그레이에이섹슈얼에 가까워요. 섹슈얼한 부분 자체는 여성과 남성, 트랜스젠더 상관없이 팬섹슈얼에 가까운 편이고요. 기본적으로 성적 끌림을 거의 느끼지 않는 수준인데, 끌린다고 해도 그거에 별로 영향을 받지는 않고 있거든요. 개인적으로는 남성보다는 여성에게 끌린 성적 끌림을 좀 더 자주 느끼는 편이라고 생각을 하고 있습니다. 그런데, 에이로맨틱이 아무래도 제일 큰 정체성인 것 같아요. 에이로맨틱 때문에 겪은 일들이 제일 많기도 했고, 다른 부분들은 사실 이렇게 제가 뭐 크게 고민하게 된다든지, 저의 정체성에 대해서 사회와 불화가

있다든지, 그런 일은 거의 없어서요. 반면, 에이로맨틱적인 부분은 연애라는 관계에 얽히다 보면 저를 곤란하게 하는 경우가 굉장히 많더라고요. 관계 지향성은 사실은 폴리아모리에 가깝다고 생각을 하고 있는데, 정확히는 에이로맨틱적 성향 때문에 독점연애의 개념을 잘 이해하지 못하는 거에 가깝다고 느끼거든요. 그러니까 전 소중한 친구와 연인 간의 경계가 뚜렷하지 않아요. 그렇다 보니까 독점 연애의 개념이 저한테는 좀 받아들이기 힘든 개념이 된 거죠? 사람을 좋아하지 않는 건 아니거든요. 그런데, 그 사람과 내가 뭔가 연애라는 관계로 일대일로 특별하게 관계가 진행이 되어야 한다는 욕구가 거의 없어요. 그게 저한테는 굉장히 어색하게 느껴지기도 해요.

3. 정신질환과 증상

2016년에서 17년 경부터 이제 우울증 진단을 받아서 치료를 받고 있고요. 그전에도 약간의 어떤 전조 증상이라든지 불길한 기운은 있었다고 느끼는데, 인생이 파멸로 가기 시작해서 친구가 저의 멱살을 잡고 병원에 끌고 간 게 2016-17년이거든요. 그래서 그때는 되게 중증이었는데, 지금은 꾸준히 약물치료를 받고 있고, 일상생활에 지장이 없을 정도의 경증으로 호전이 된 것 같아요. 증상은 typical한 증상에 가까웠어요. 내적 성찰이 좀 부정적으로 치닫는 경우가 굉장히 많았고, 스스로 불안을 인지를 하지 못하는데도 그 불안 때문에 무기력감이 굉장히 강한 상태였거든요. 자살 충동도 종종 느꼈었고요. 무기력증이 심할 때는 자살 생각도 안 들었었는데 이제 호전을 하다 보면은 '그냥 이렇게 죽어야겠다.' 라며 갑자기 충동이 좀 들 때가 있어서 그것 때문에 약물 조정을 한 적은 몇 번 있었던 것 같아요.

지금은 치료를 받은지 오래되기도 했고, 생활습관도 많이 바꿨고, 일상생활에 지장이 없는 수준으로 유지가 되기는 하는데 약간 그냥 가끔씩 뭔가 트리거가 있다든지, 아니면은 이렇게 여자다 보니 생리 때문에 호르몬 공격을 받으면은 안 좋은 기억들이 되살아나는 정도예요.

우울증 때문에 학업이 멸망 직전까지 갔는데. 구멍을 도와주셨던 대학교 학부 사무실 직원이나 교수님들의 존재가 되게 도움이 되었어요. 실무자로서 학부생을 걱정하는 심정으로 감정적으로 공감하는 것까지는 아니었다고 해도요. 이게 도움이 필요하고 이해가 필요한 증상이었다는 걸 사회적으로 인정 받는 경험이었죠.

4. 소수적인 정체성 및 지향성이 본인에게 미친 영향

에이로맨틱 에이섹슈얼은 숨기려고 하면 되게 숨기기 쉬운 정체성이라고 생각이 들거든요. 유로맨틱인데 에이섹슈얼이라든지. 에이로맨틱인데 제드섹슈얼이라든지. 그런 경우에는 애매할 수 있어요. 왜냐하면. 이렇게 나는 섹스만 하고 싶은데. 연애를 해야 되는 상황에 놓이거나. 나는 연애만 하고 싶은데. 섹스를 해야 되는 상황에 놓일 수 있잖아요. 근데 저 같은 경우에는 그냥 아무것도 안 하면 되거든요. 그래서 굳이 막 드러낼 이유도 없었죠. 아예 그냥 연애 관계에 참여를 안 하면 되기 때문에. 개인 차원에서 스트레스를 받는 게 있기는 하지만. 사회 관계에서 곤혹을 겪거나 뭐 이렇게 유지를 한다거나 하는 거에는 거의 크게 문제가 없었던 것 같아요. 다만 로맨틱한 관계를 저와 맺고자 하는 사람들이 없던 건 아니라서. 그리고 저도 처음부터 '하면 안 되겠다.' 막 그 정도로 강하게 제 정체성을 안 건 아니라서. 연애 관계에서 곤혹스러웠던 적은 있었죠? 에이로맨틱한 성향을 미리 밝히고 관계에 참여를 했었는데도 상처를 받는 사람들이 있었어요. 아무리 최선을 다해도 상대방이 그냥 단순히 잘해주는 것만으로는 만족을 좀 못하는 것 같더라고요. 근데 그 부분은 정말 제가 어떻게 할 수가 있는 부분이 아니잖아요. 제가 할 수 있는 게 아닌데. 나한테 요구를 하면은 되게 당황스럽잖아요. 죄책감이 생기더라고요. 그래서 우울증이 좀 더 심화가 되었어요.

5. 인간관계

정체성을 되게 빨리 깨달은 편이에요. 섹슈얼적인 부분도 그렇고. 로맨틱적인 부분도 그렇고요. 상대적으로 이제 다른 분들에 비해서는 시행착오나 변화가 되게 적었다는 생각이 드는데. 특별하게 어떤 에피소드가 위안이 되었다기보다는 전반적으로 이제 저를 이해해 주는 사람들이 있었던 게 그런 경험이 저한테는 위안이었던 것 같아요. '나만의 문제가 아니구나. 비슷한 감정을 가지고 있고 비슷한 생각을 하는 사람들이 어딘가 있구나.' 이거를 확인하는 것 자체가 되게 좀 위안이 됐던 것 같아요. 저희 대화도 그렇고요. 에이로인 친구나, 에이로인 사람들이랑 이야기를 하는 게 항상 즐겁고요. 사회가 유로맨틱 유섹슈얼한 방향으로 돌아가서 발화를 하기가 어려워요. 사랑을 거부하는 중2병 환자나 사이코패스 같은 느낌으로 받아들여지기 쉬운 느낌이에요. 고등학교 때부터 친하게 지내온 친구랑은 이런 사랑, 연애에 대한 개념이 이해 안 된다는 얘기를 많이 하면서 엄청난 연애, 엄청난 사람을 만나는 것을 통해 우리가 이걸 이해하게 될까? 했는데, 둘 다 이 나이 먹도록 그거를 못 느꼈어요. 우리에겐 사랑이 없었어요. '우린 그냥 없는 사람인 거야.' 그게 도움이 됐어요. 본인이 이런 정체성을 가지고 말을 안 하는 사람도 분명 있을 거라고 생각해요.

퀴어 정체화 전후에 바뀐 점은 거의 없는데, 따지자면 여자에게 끌린다는 걸 알고 있는데, 정체화를 확실히 하고 나서는 저를 철썩 같이 남성을 좋아하는 헤녀로 알고 있는 친구들이 헤녀 우정처럼 접촉할 때 죄책감을 느끼죠. 내가 커밍아웃을 해도 이렇게 스스럼 없이 대해줄까? 이런 느낌이에요. 너의 행동이 나에게 성적으로 다가오니까 불편해. 이런 것도 이상하잖아요. 어떻게 해야 할지 아직도 고민을 하게 되는 주제입니다.

6. 연애 관계

지금 하고 있는 연애에서 되게 이해 받는다는 느낌을 많이 받고 있거든요. 지금 하고 있는 연애가 상대방이 제 어떤 정체성에 대해서 되게 잘 이해를 해주는 편이에요. 기대하는 바가 되게 명확하고, 제가 못하는 거를 요구하지 않으려고 애쓰는 게 눈에 보이는 느낌? 저랑 전혀 다른 사람이에요. 유로맨틱, 유섹슈얼, 정신건강도 건강한 갓반인이거든요. 저를 배려를 해주고 있는 게 저는 되게 고마운 거죠. 사실 뭔가 좀 본인도 불만이 있을 것 같은데, 그거를 강요하지 않는 게 되게 좋은 경험인 것 같습니다. 제가 연애에서 노력하는 부분에 대해서 잘 알아주기도 하고요. 사실 이런 특별한 관계를 유지하기 위해 의식적인 노력이 남들보다 더 요구가 되거든요. 남들은 자연스럽게 '내 사람이니까 잘 챙겨줘야겠다.' 이런 느낌이 있다면, 저 같은 경우에는 항상 약간 '음. 나는 지금 이 사람이랑 연애를 하고 있으니까 이렇게 해야겠다. 이게 맞다.' 이런 생각을 항상 의식적으로 하게 되거든요. 망한 이전 연애들을 생각하면 '이 관계가 정말 소중하구나.' 느끼죠.

저는 사랑이라는 그 감정이 저한테 있어서는 되게 이해하기도 어렵고, 받아들이기도 어려운 개념이에요. 독점 연애는 정말 더 오리무중이에요. 사람들이 그걸 왜 그렇게 중요하게 생각하는지 모르겠는 수준으로 이해가 안 돼서요. 그렇다고 해서 제가 뭐 연애를 할 수 없느냐는 아니거든요. 그래서 제가 생각하는 연애는 책임과 수행으로 정의되는 것 같아요. 특히 우리나라에서는 연애 관계라는 게 더 역할화된 경향이 있는 것 같고요. 정의된 그 기대받는 역할에 대해서 의무를 잘 수행하는 게 연애의 핵심이 아닌가? 싶어요. 역할 놀이라고 생각해요. 상대방을 아끼고 인간 대 인간으로 존중하고 아끼고, 독점 연애로 합의가 된 경우에는. 이런 관계를 다른 사람들과는 나누지 않겠다고 약속을 하고, 기대되거나 상호 간에 어떤 특수한 합의에 이른 세부적인 역할들에 대해서 책임감을 가지는 것. 저한테는 그게 제가 할 수 있는 최대한의 일이고, 저한테 그걸로 충분하다고 생각이 들어요.

저는 로맨틱 때문에 파탄을 많이 맞이하고 나서 소위 말하는 섹스 파트너 같이 즐기고 살았던 적이 있는데, 그 경험이 저한테 좋았어요. 로맨틱한 감정적인 의무를 부여하지 않는 관계에서 굉장히 자유로움을 많이 느꼈답니다.

지금처럼 뜨뜻미지근하고 담백하게 서로 지켜야 할 부분 잘 지키면서 연애가 이어졌으면 좋겠어요. 그리고 저를 많이 좋아하지 않았으면 좋겠어요. 감정적인 애착을 덜 가졌으면 좋겠어요. 고통을 받는 순간이 오지 않고 싶어요. 이 관계가 좋고, 길게 유지하고 싶거든요.

퀴어 정체화 하고 나서 크게 변화한 점은 없지만 남자보다는 여자를 좋아하는데, 에이로맨틱 레즈비언 연애를 하는 게 쉽지 않더라고요. 좌절감을 느꼈죠.

상대방을 꽤 좋아했고, 사랑인가 생각도 했던 연애가 있었어요. 상대는 집착, 감정적인 의존, 이런 것들을 바랐는데, 저는 그 기대를 전혀 부응할 수 없었어요. 근데, 헤어지고 감정적인 후유증이 없었어요. 연인이었던 사람이 한순간에 남남이 되더라도 저는 굉장히 헤어질 당시도 좋아했고, 그거와 별개로 관계의 형태는 이렇게 계속 못 이어지겠구나는 확신이 들어서 헤어졌던 거죠. 사실 괜찮다면 계속 친구로 지내고 싶었어요. 근데 그게 불가능에 가까운 일이더라고요.

P.S. 대체 왜 헤어지면 친구를 못하는가?

아끼고 소중했던 관계가 한순간에 날아가는 것처럼.

하지의 이야기
' 논모노 스펙트럼의 트랜스젠더의 경험 '

1. 자기소개
30살, 하지입니다. 내향형, 지방 취준생. 문화 콘텐츠 쪽으로 일을 하고 싶었는데, 생활비나 수술 등의 문제 때문에 육체 노동하는 직장에서 일을 했어요.

2. 성 정체성, 지향성, 관계 지향성
FTM. 로맨틱 끌림은 양성이나 혹은 성별에 관계없이 끌리는 쪽에 가깝고, 무성애에 가까운 그레이섹슈얼입니다. 독점 연애를 지향하는 편입니다. 청소년기 때부터 자연스럽게 로맨틱, 섹슈얼 쪽으로는 정체화했는데, 젠더 정체성은 고등학교에서 성인 될 때쯤 정체화를 했어요.

3. 본인의 정신질환, 증상
우울증으로는 10대 후반부터 정신의학과에서 오래 약물치료를 받았는데, 지금은 사정 상 못 받고 있고, ADHD로 의심되는 증상이나 경험이 많고, 신경 다양인으로 스스로 느낍니다. 불안이나 강박 같은 증상이 있고요.

4. 본인에게 미친 영향
젠더 정체성은 굉장히 삶을 힘들게 하는 부분이에요. 우울증 증세를 악화시키기도 했고, 부정적인 영향을 많이 끼쳤어요. 성적 지향보다는 성 정체성 부분이 힘들게 했죠.

5. 인간관계

 친구들이랑 오래 잘 관계를 유지하나, 제 정체성을 정확히 말한 친구는 별로 없어요. 근데, 제 성격이나 특이함을 그대로 받아들여주고 수용적인 느낌이어서 많이 의지가 되고 도움이 됩니다.

 퀴어 정체화 전후로 달라진 점에 대해서는 제가 남성이다 보니까 저에겐 이성 친구 같은데, 상대는 저를 동성 친구처럼 생각하고 지내왔고, 앞으로 수술이랑 정정을 결심하고, 상대가 저를 이성으로 인지하기 시작하면 제가 그 친구들에게는 동성 친구에서 이성 친구로 변하니까 관계가 변할 것 같다는 우려가 크게 있어요.

 커밍아웃을 오래 알고 지내던 친구한테 했을 때, 어렵게 했는데 알고 보니 주변에 저 같이 FTM 지인도 있고, 잘 받아들여주고 이해해줘서 관계가 무척 편해지고 지금까지 다 터놓고 얘기할 수 있는 친구가 되기도 했어요.

 우울증 증세에 대해서는 이해해주는 사람이 많아요. 의도치 않게 상처 주는 사람도 분명 있지만, 우울증 때문에 가라앉아 보이거나, 무언가 하기 힘들다는 것을 이해해 줘요.

6. 연애 관계

 교제를 제의하고 수락해서 연애 관계를 유지하기로 합의하는 관계. 범위를 좁게 보기보다는 무성애자끼리의 관계 중 주키니, BDSM 관계 등 모두 연애의 넓은 범주로 보고 있어요.

 저는 관계에 있어서 이해해 보려고 하고 받아들여졌으면 좋겠다는 마음이 커요. 사람에게 상처 받을 확률이 높은 게 움츠러들게 되고 공포가 생기는 것 같아요. 친해졌는데 성소수자를 부정적으로 본다 하면 상처 받게 되니까요. 포용적인 사람이 많았으면 좋겠어요.

파랑복숭아의 이야기
' 9년 째 동거 중 '

1. 자기소개
저는 파랑복숭아입니다.

39살이고, N잡러로 사업도 운영하고, 글도 쓰고, 회사 업무도 하고 있어요.

2. 성 정체성, 지향성
뉴트로이스 바이섹슈얼, 현재 레즈비언 파트너와 9년째 동거 중입니다. 몇 년 사이에 유방 제거 수술을 받으려고 준비를 하고 있고요. 바이섹슈얼은 바이로맨틱 에이섹슈얼에 가깝습니다. 유년기 때 신체 혐오를 심하게 겪어서 가슴이 나오기 시작할 때 이차성징이 발현되는 것이 혐오스러웠고, 거부를 했어요. 그래서 속옷을 착용하는 부분도 굉장히 꺼려했는데, 사회적인 부분 때문에 억지로 하고 다닐 수밖에 없었던 부분이에요. 기존의 속옷을 입지 않고 보정 속옷을 찾게 되거나, 이제 독립을 하고 나서 스스로 정체화를 하게 된 거죠.

3. 정신질환과 증상
병원 진단은 21살 정도에 정확히 진단을 받았고요. 학교를 다닐 때 증상이 발현이 됐는데, 중학교 2학년 때부터 발현이 됐고, 학교 다니던 쪽이 좀 시골이다 보니까 거기에는 정신건강학과가 없는 곳이었어요. 부모님도 그렇게 이 부분에 대해서 심각하게 생각을 하지 않으셨기 때문에, 제대로 된 치료를 못 받고 학창시절을 보냈어요. 당시에는 학교 내부의 상담 센터 같은 것도 없어서 이제 보건소에서 운영하는 쪽에서 의식적으로 상담을 받긴 했어요. 이게 정신과를 바로 간다고 해서 진단이 바로 나오는 게 아니거든요. 그리고, 진단을 처음에 받았다고 하더라도 이 진단이 쭉 계속되는 경우도 거의 없어서 저 같은 경우는 이제 처음에는 만성우울증으로 판정을 받았다가. 두 번째는 경계선 인격장애로 판정을 받았다가 이제 약간 그 환청이나 환시 부분이 심해서 조현 증상도 있다고 판정을 받았고 이후에 지금까지는 조울증으로 진단을 받고 있어요.

 제가 자해도 자살 시도도 한 적이 있는데, 굉장히 친하게 지내는 한 분이 뒷처리를 많이 해주셨는데, 항상 왜 그랬냐고 묻지 않으시더라고요. 궁금할 법도 한데, 매번 묻지 않고 묵묵히 처리해주셔서 제가 오히려 그쪽에게 왜 안 물어보냐고 질문했을 때, '정신질환에 대해 잘 모르지만, 감정 기복이 심한 너라는 사람이 어떤 생각과 감정을 가지고 살아가는지도 잘 모르지만, 너가 힘들어서 그런 패턴이 나온 게 아닐까 싶어서 오히려 물어보면 힘든 게 더 증폭이 되어 안 좋은 영향을 끼칠까 봐 묻지 않았다.' 고 하더라고요. '언젠가는 자해를 하는 것도 멈추고 뭐 삶을 그만두려고 하는 부분도 멈추는 날이 오지 않을까 해서 좀 더 잘 해주려고 하고 있다.' 라는 얘기를 해주더라고요. 그래서 그때 '아, 어쩌면 이 사람이 내가 정신적으로 아픈 거에 대해서 이해를 해주는 첫 사람이 아닐까.' 라는 생각이 들었죠.

4. 소수적인 정체성 및 지향성이 본인에게 미친 영향
 공부를 하게 되었습니다. 이것저것 인터넷이나 책을 보면서 공부를 했던 케 컸어요. 딱히 사회적으로 나쁜 부분은 없었고, 스스로에게는 긍정적인 부분이 컸죠. 저를 찾아가는 과정을 겪었으니까요.

5. 연애 관계
 제가 정상적인 연애를 못하는 편이었어요. 그러니까 서로 같이 걸어가는 이런 느낌이 있는 연애를 해본 적이 없었어요. 상대방이 어느 날은 굉장히 좋다가 또 어떤 계기로 인해서 굉장히 폄하되어 버리는 감정 기복도 굉장히 심했고, 상대방도 저랑 연애를 하던 도중에 다른 사람을 만나던지 아니면 이제 뭐 같이 살고 있는 집에 다른 사람을 불러들여서 이제 둘이서 바람을 피우는 장면을 제가 목격을 한다던지, 이런 일이 있어서 진득하게 오래 연애를 못했었는데, 현재 파트너랑은 9-10년 정도 같이 동거를 하고 있거든요. 파트너 덕분에 제 성적 지향을 탐구해 나갔던 부분도 있어요. 관계가 전보다 가벼워져서 오히려 이전 연애보다 괜찮아진 거죠. 연애보다 본인이 더 소중하게 되었고요. 연애를 하는 건 연애를 하는 거고, 일생에 전부가 아니구나라고 생각을 하는 게 상대가 나한테 신경을 많이 안 써주는 건가? 내가 그닥 소중한 사람이 아닌가?라고 오해를 할 수도 있는데, 그러지 않았고, 독립적으로 인정을 하게 된 거죠. 즉, '우리'보다 '나'가 먼저인 관계라고 할 수 있어요.

 퀴어 정체화 전후에는 확실히 저와 비슷한 사람들, 특히 뉴트로이스에 대한 것들을 많이 찾아보고 스스로 사회화를 했어요. 크게 달라진 점은 없고요.

 성별, 지향하는 부분에 대해서 말한 건 파트너가 유일한데, 지금은 다 이해를 한 상태라고 했잖아요. 제 파트너가 전형적인 부치거든요. 남성스럽고, 키도 크고, 덩치도 좋고, 성격도 그런 편이에요. 예전에는 부치랑 팸이 사귀는 게 기본이라고 생각을 했던 시절이 있으니까. 처음에 사귈 때는 사랑하는 사람이 생기다 보니까 예쁘게 꾸미고 싶고 그랬는데, 맞지 않는다고 생각해서 3-4개월 전에 얘기했어요. 내가 원하는 모습을 하면 월경도 하지 않고, 유방도 제거하고, 신체적으로도 많이 달라질 텐데 겉으로 봤을 때, 너에게 어울리는 반려자가 아니지 않을까라고 말했을 때 본인은 그런 게 상관 없다고 하더라고요. '긍정적으로 생각하고, 너가 원하는 모습으로 살기를 바란다.' 고 하며 이해를 받았어요. 다만, 다른 쪽에는 제가 뉴트로이스라고 말한 적이 없어서 앞으로 어떻게 될지 모르겠네요.

 저는 제 파트너가 나 이외의 사람과 나와 같은 감정선을 나누지는 않을 거라는 그런 확신이 있어요. 바람을 필 것 같다는 생각은 안 해요. 농담 삼아서 제가 7살 연상이라 그래서 나보다 어린애가 너 좋다고 하면 어떡하지라고 했을 때 이런 농담을 하는데, 이제 바닥이 깔려있죠. '이 사람은 그 일평생 그냥 반려자로 나를 선택을 했구나.' 라는 부분이 있어서 어떻게 보면 이런 부분은 다른 커플들이 굉장히 부러워할 것 같고, 섹슈얼한 부분이 없는 부분은 어떻게 그렇게 사냐라고 말을 할 것 같은데, 뭐 저희는 적당히 잘 지키고 살고 있습니다. 서로 불만이 없어서?

바라는 점에 대해서는 새로운 인간관계를 굳이 늘리려고 하지 않을 것 같은데, 10년 내지 15년 뒤에 시골로 내려가서 조용히 살고 싶어요. 연애에선 서로에게 더 바라는 게 없는 시점인 것 같기도 하고요.

P.S. 커플이나 커플이 되고 싶은 사람들에게,

서로를 바꾸려고 하지 마라!

에필로그

인터뷰집을 배우자와 함께 해보았다.

안녕하세요. 저는 진영현이고, 애인 윤승현과 같이 이 책을 준비했습니다. 인터뷰 참가자들에게 주었던 질문지를 토대로 서로에게 질문하며 해보았습니다. 이런 질문을 통해 다양한 이야기를 들을 수 있었답니다!

1. 자기소개 부탁 드립니다.

영현: 상담심리학과, 사회복지학과를 수석으로 졸업하고, 타로와 사주를 보는 현이라고 합니다. 현재 사회복지학과 석사 과정에 들어가 성소수자의 인권 증진에 이바지 하고 싶다는 열망을 가지고 있습니다.

승현: 아, 나 뭐라 해야 해? (웃음) 이게 맞아? 이게 맞냐고. (큰 웃음) 아니, 뭐라 해야 되지? 진짜 하는 거예요? (깊은 한숨) 글쎄입니다.

2. 본인의 성 정체성과 지향성과 관계 지향성을 퀴어 용어와 함께 말로 풀어서 말씀해 주세요.

영현: 흠. 데미걸 데미로맨틱 데미섹슈얼. 데미걸은, 부분적으로 여성임을 느끼는 건데, 저는 약간, 뭐라 해야 하지, 퍼센트로 말하면 2-30%? 여성으로 느끼는 것 같고, 나머지는 젠더가 없다고 느낌. 그레이젠더랑도 비슷한 듯? 희미하게 젠더를 느낌. 로맨틱과 섹슈얼은, 감정적으로 친밀해졌다고 느끼면, 끌림을 느끼는 편이고, 남성애자야. 관계 지향성은 대부분 끌림을 느끼는데, 독점관계를 지향함.

승현: 사실 예전보다는 논아모리나 논가미에 가까워졌다고 생각해. 관계 맺는 것에 대해 원하지 않는? 정체성은 아포젠더고요. 성별이 없고, 젠더리스 상태이며, 성별의 개념에서 동 떨어진 사람입니다. 지향성은 아포시섹슈얼, 성적인 행동 자체를 싫어하지만, 내가 개입하는 성적인 행위만 싫어하는 거지, 성적 행위에 대해 크게 좋다, 나쁘다 생각하지는 않아요. 리시프로맨틱, 이끌림을 기본적으로 느끼는지 안 느끼는지 잘 모르는데, 거의 보통 안 느끼는데, 상대가 로맨틱한, 연정적 이끌림을 느낀다고 하면 일부 똑같이 연정적인 로맨틱 이끌림을 느끼는. 하지만 그게 100 퍼센트 화답을 할 수 있는 것도 아니고, 내가 생각했을 때는 그러한 이끌림을 약하게 느끼는 편. 그리고 팬-얼터러스는 제3의 끌림인데, 친구 같으면서도 어느 정도의 플라토닉함이 섞여 있는 이끌림을 젠더 상관 없이 모두에게 느끼는 편. 이걸 강하게 느끼면 파트너 관계로 발전하고 싶었지, 과거에는. 다만, 지금은 연애든, 주키니든, 관계를 딱히 원하지 않는 것 같아. 데미센슈얼, 깊은 관계, 정을 나누고, 가까운 관계에 되었을 때, 그 사람과의 신체적인 접촉이 가능한, 성적이지 않은 포옹이라던가, 뽀뽀라던가 그런 접촉까지 괜찮아. 마지막으로 논에스테틱, 사람의 외모에 대해서 그런 미적 이끌림을 느끼지 않아. 이상형이라는 존재를 약간 특이하게 보는? 그런 사람이고요. 관계 지향성은 지금은 모노가미 수행을 하고 있는 편. 결혼을 했으니까.

3. 본인의 정신질환과 증상에 대해서 말씀해 주세요.

영현: 그냥 우울증. 가끔 조증삽화가 있음. 정확히 말하면, 경조증 삽화. (증상은요?) 자살사고가 있어요. (그 외는요?) 자주 울고, 사람이 싫어요. 애인도 싫어요. 약간 경계선 인격 장애의 특성이 있을지도?

승현: 2021년에 처음으로 파트너들에게 과한 권유를 받아서 전화로 상담을 받아봤는데, 1회차에서 상담사가 포기를 하고, 얼마 안 돼서 약물 과다 복용으로 병원을 처음 들어가서 그때 강제입원을 21일 동안 당하면서 약이 늘어났고, 그때 진단받은 게 심한 우울증과 경계선 인격장애의 특성을 가지고 있다고 진단을 받았는데,

4-5일 뒤에 병원을 다시 들어가서 12일 있다가 안 되겠다 싶어서 2022년 한국으로 돌아왔는데, 그때도 어떻게든 일단은 약을 먹고 버텨야겠다는 생각으로 약을 병원을 3월쯤 가서 계속 약을 타오긴 했지만, 7월에 여러 가지로 자의로 입원을 했다가 치료 의지가 없어서 퇴원을 당하고. 그때도 우울증이랑 양극성 의심을 받기는 했지만, 정확한 진단은 불가능 했고, 퇴원하고 몇 주 뒤에 또 약물 과다 복용으로 실려갔고. 그 이후로는 정신과에 방문한 적이 없음. (왜?) 애초에 뭐라 해야 하지? 약이 잘 안 듣는 편이기도 하고, 또 약을 복용하다가 언제 훼까닥해서 약물 과다복용을 할지 모르겠어서.

4. 소수적인 정체성 및 지향성들이 본인에게 미친 영향은 무엇인가요?

영현: 좋아하는 친구가 그 당시 여자였는데, 이 친구가 심리학에 관심이 많아서, 과를 이렇게 선택하게 되기도 했고. 성소수자 애인만 사귀게 됐죠. 대체로 그런 사람들에게 끌림을 느꼈어요.

승현: 일단, 정체화를 2020년도 쯤에 했는데, 그때 이제 시스젠더 남성은 아니었지만, 그래도 일단 남성성을 보이는 사람과 연애인 줄 알고 관계를 지속했는데, 그때부터 나는 양성애자인가? 범성애자? 인가 고민하게 되었던 계기였는데, 그 이후로 정체성과 지향성들을 탐색해 나가면서 대략 2년간의 여러 정체화를 통해서 에이로맨틱 에이섹슈얼 에이젠더로 정체화를 마쳤고. 그 과정에서 많은 파트너들을 만들었고. 그러면서 좀 더 본인의 정체성, 퀴어 정체성에 대해 돌아볼 계기가 되었는데, 그 과정에서 일련의 사건들(파트너를 만들고, 헤어졌다.)에 대해 실친들에게 밝히기도 했지만, '그럴 수 있지.' 하고 받아줘서 고마웠는데, 가족들 중에는 동생만 '이해는 안 되겠는데, 잘 해봐.' 같은 느낌이었고, 근데 양친은 이해 전혀 못하던 상태. '너가 괜찮은 사람을 만나보지 않아서 그럴 거다, 어려서 그럴 거다.' 등 폭력적이고 혐오적인 발언을 많이 했지만, 사실 그걸 무시하고, 친구들, 앨라이인 친구들 얘기를 더 많이 들었던 경우.

인간관계 및 연애

1. 본인을 지지해주는/했던 인간관계 중 본인에게 위안이 되었던 긍정적인 경험을 이야기해 주세요.

영현: 사실, 위안이 되었던 경험이 별로 없는 게, 단 케이크를 먹으면, 결국엔 맛이 잘 안 느껴지거든? 복 받은 건 아는데, 내 주변에 앨라이가 너무 많았고, 아닌 사람들은 무시했기 때문에, 되게 많은 사람들에게 도움을 받았다? 하나를 특정하기 어려운거 같아. 그래도 지역아동센터 선생님? 되게, 지지해주고, 응원해주고, 로저스의 무조건적 수용(심리학적 용어)같은 게 도움이 되는구나 라고 느꼈죠.

승현: 사실, 과거 기억이 잘 나는 편은 아니라 잘 기억이 안 나. 큼직한 사건은 기억하는데, 그 당시에 위안이 되었던 경험은 잘 없어서. 그래도 캐나다 있을 때 예전 집주인 정도? 성소수자인 걸 커밍아웃 했는데도 잘 받아줘서 고마웠던 느낌?

2, 퀴어 정체화 하기 전과 후의 인간관계에 대해서 달라졌다고 느낀 점이 있나요?

영현: 씁. 어... 할 말이 없네...? 퀴어 친구들이 많이 생긴거? 여자랑 사귀기 어려운거? (왜?) 안 팔리거든. 됐어. 이게 끝이야.

승현: 내가 실친들은 잘 뒀나 생각하는 게, 있는 그대로의 나를 봐줘서 고마운 느낌? 그래서 큰 차이가 없고. 캐나다에 있었을 때도 비슷한 친구들 몇 명 사귀었고, 몇 명 연락하는 중이고, 퀴어 사람들 많이 늘어났다는 점? 변화는 크게 없네요.

3. 성 정체성 및 지향성에 이해 받는다고 느꼈던 경험에 대해 말씀해 주세요.

영현: 나는 관계 지향성에 대해서 이해 못 받았던 기억이 제일 기억에 나는데, 작년에 폴리아모리 수행을 했는데, 이해 못 해주는 사람이 너무 많았고, 오픈 퀴어라고는 하지만, 정체성이나 지향성에 대해서, 제대로 커밍아웃 한 적은 별로 없어서, 잘 모르겠음. 그냥 퀴어라고 하면 대체로 이해해주는 분위기긴 함.

승현: 위에서 다 말한 것 같아서 별로 말할 건 없는데, 원래 있는 사람들과 새로 사귄 사람들이 대체적으로 이해해줘서 크게 유별나게 기억 나는 경험은 없긴 한데, 맞커밍 하게 된 경험은 딱 한 번 있었어. '나도 그래.' 하면서.

4. 정신질환, 증상에 대하여 이해 받는다고 느꼈던 경험에 대해서.

영현: 나 의외로, 가족이 이해를 굉장히 잘 해줌. 아무래도 정신질환자가 가족에 있어서 그런가? 근데, 세부적인 증상은 아무도 이해 못 하는거 같아.

승현: 친구들? 병원 갔다 왔다 하니까 '아 진짜?' 하고. 정신과 가면 못 볼 꼴 봤다는 얘기 하기도 하는데, '힘들었겠다.' 등 이해를 시도한 친구들이 있어서 좋았다? 근데 의사가 제일 공감을 못해주더라고? 그건 웃기긴 했어. 정신이 건강한 사람들은 역시 이해를 못하겠구나 같은 느낌.

5. 연애 관계를 어떠한 관계로 정의하는지에 대해 말씀해 주세요. (+본인의)

영현: 설렘이 있는... 현생이 무너지는 관계? 그리고, 귀찮아. 어쨌든 챙겨줘야 한다는 게? 가끔 보면 좋아. 끝.

승현: 연애요? 사실 저는 처음부터 연애는 관심이 없었어서. 처음 파트너는 연애 관계로 시작했는데, 제가 알고 보니까 이건 로맨틱한 관계는 아니고, 로맨틱 조금 플라토닉 조금 프렌드쉽 조금 해서 파트너 관계로 정의 했는데, 연애라고는 해본 적도 없고, 관심도 없고, 누가 로맨틱한 관계로 발전한 사람이 지금 배우자 빼고 없기도 했어요. 그래서 저한테 연애 관계를 어떠한 방식으로 정의를 내리냐고 물어보는 건 답해드릴 수 있는 방법이 없겠네요. 잘 모르니까. 파트너쉽은 친구인데 친구 아닌 느낌? 주키니도 연애도 아닌데, 친구 같으면서도 동반자? 그런 느낌. 평생 가고 싶을 정도로 좋아했던 사람들이라 동반자라는 명칭도 나쁘지 않을 것 같아.

6. 본인이 경험한 연애 관계에 대해 좋은 경험이 되었던 관계에 대해 말씀해 주세요.

영현: 아, 너무 방대해서 뭐부터 말해야 할지 모르겠어. 좋고, 나빴던거 같아. (왜?) 그래도 내가 많이 의지할 수 있어서. 좋았다? 근데 대체로 외로웠어. 불안했고, 대화가 부족했고, 너무 성급했고, 사람은 원래 사랑할 수 없는 존재야. 그래도 삶의 원동력이 됐다고 생각해. 어쨌든, 난 원래 가까우면 떠나고 싶고, 진저리를 치는데, 멀면 붙잡고 싶음. 가까운 관계가 너무 피곤해. 근데, 연애는 필연적으로 가까울 수 밖에 없잖아.

승현: (파트너 관계에 대해서 얘기해 주세요.) 잘 모르겠는데. (왜?) 하나하나가 유니크하기도 하고, 내가 기억을 잘 못하기도 하고, 그냥 다들 안 맞았던 부분도 있었겠지만, 다들 따지고 보면 그렇게 나쁜 사람은 아니었다? 다들 유니크하기도 하고 그래서 하나만 콕 찝어서 설명하는 건 어렵고. 나한테 일단 할 수 있는 만큼 도와주려고 했던 부분이 정말 좋았다. 그러고 보니 내가 정신병이 많이 심해졌을 때, 여러 가지로 정신과 방문을 꺼려 했었는데, 한국이나 캐나다 반대편, 멀리 있었음에도 어떻게든 병원을 가려고 강하게 권유를 했을 정도로 노력해줘서 고마웠지.

7. 현재 혹은 앞으로의 인간관계, 연애 관계에서 원하는 점, 바라는 점에 대해서 말씀해 주세요.
영현: 다 그만두고 싶어요. 아무런 영향도 안 받고 싶어. 정확히 말하면, 딱히 변화하고 싶지도 않음. 다 그만 두고 싶음. 전형적인 우울증 환자냐? (그런 듯.)

승현: 없어요. 바라는 건 없고, 사람 사는대로 사는 거지 같은 느낌. 그냥, 관계가 이랬으면 좋겠다는 없고, 대화가 잘 통했으면 좋겠어요. 어차피 사람이 다른 사람을 비슷하다 해도 다르다 해도 100퍼센트 이해할 수 없는 건 사실이니까, 크게 바라는 점은 없습니다.

8. 퀴어 정체화 하기 전과 후의 연애 관계에 대해서 변화된 점이 있나요?
영현: 남자만 사귀다가, 다른 젠더도 사귀어 봤다? 그거 말곤 없음.

승현: 정체화 과정이랑 첫 번째 파트너쉽이랑 거의 겹쳐서 그 전은 연애 경험이라 던가, 파트너쉽이라던가, 그러한 관계의 경험이 아예 없어. 그런 면으로 보면 되게 많이 변화했지. 파트너쉽이든 연애든 관계를 가졌으니까 많이 변화했지.

2023년을 마무리 하며!

 2023년 10월, 11월에 걸쳐서 이 책을 작성했다. 고메북스에서 박지현 작가와 함께 하는 독립출판 워크숍을 통해 여러 사람들과 함께 출판을 준비하게 되었다. 지치는 나날들도 많았지만, 결국에 여러 사람들과 함께 해서 원고를 완성할 수 있었다. 인터뷰에 참여해주신 사람들에게도 너무 고맙고, 여기까지 달려오게 도와주신 선생님께도 감사하다. 준비가 잘 안 됐음에도 불구하고 처음부터 많은 사람이 인터뷰에 참여하겠다고 신청해주셔서 감사했다. 마지막으로 힘든 시기였음에도 이 작업을 포기하지 않은 나에게 대견하다고 말하고 싶다.

 이 책을 쓰면서, 그리고 쓴 이후에 너무 힘든 일이 많았다. 배우자와 많이 다퉜고, 결국 지금은 이혼을 준비 중이다. 그래서 이 책을 낼지, 말지, 배우자 얘기를 어떻게 할지 고민했지만, 그래도 이 책을 쓸 때만큼은 소중했던 우리니까, 그리고 사랑과 사람과의 관계를 다루고자 한 계기가 배우자 덕분이었으니까 에필로그를 빼지 않았다.

나는 성소수자다. 동시에 정신질환을 앓고 있다. 이런 퀴어한(특이한) 사람들을 더 탐구해보고 싶었다. 소수자들이 가시화될 수 있는, 떳떳하게 살 수 있는 사회를 바란다. 그렇게 이번 기회로 다양한 사람들의 이야기를 들었고, 이를 토대로 앞으로도 더 나아가야겠다는 생각을 했다. 비록 이번에는 인터뷰로 가볍게 마무리 했지만, 다음에는 이를 토대로 질적 연구를 진행해볼 예정이다.

이 책을 읽는 모두에게, 사랑하는 사람들과 함께 행복한 삶을 살길 바란다.

퀴어한 관계

성소수자 & 정신질환자 16명의

인간관계와 사랑에 대한 인터뷰집

발 행 | 2024년 1월 4일

저 자 | 진영현

표지 사진 | 미리캔버스

에필로그 그림 | 백설

트위터 | @hyun_7639

펴낸이 | 한건희

펴낸곳 | 주식회사 부크크

출판등록 | 2014.07.15.(제2014-16호)

주 소 | 서울시 금천구 가산디지털1로 119, SK트윈타워 A동 305호

전 화 | 1670 - 8316

이메일 | info@bookk.co.kr

ISBN | 979-11-410-6430-3

www.bookk.co.kr